WARRIORS

猫武士

三力量

三部曲之⑥

拂晓之光
Sunrise

艾琳·亨特◎著

杨　冰◎译

未来出版社

FUTURE PUBLISHING HOUSE

风靡全球的动物励志传奇故事

图书在版编目（CIP）数据

拂晓之光 / (英) 亨特 (Hunter,E.) 著；杨冰译. -- 西安：
未来出版社，2010.4（猫武士）（2012.1重印）
书名原文：Sunrise
ISBN 978-7-5417-3938-5
Ⅰ.①拂… Ⅱ.①亨… ②杨… Ⅲ.①儿童文学—长篇小说—
英国—现代 Ⅳ.①I561.84
中国版本图书馆CIP数据核字(2010)第051550号

著作权合同登记：陕版出图字25-2009-101号

猫武士三部曲·三力量⑥拂晓之光 Sunrise

选题策划	尹秉礼　冯知明
丛书统筹	孟讲儒　唐荣跃
责任编辑	唐荣跃　董文辉　孟讲儒
特约编辑	张芳　杨迪
技术监制	慕战军
发行总监	陈刚　丁杰
出版发行	未来出版社出版发行
	地址：西安市丰庆路91号　邮编：710082
	电话：029-84298551　84288355
经　销	全国各地新华书店
印　刷	荆州市今印印务有限公司
开　本	880mm×1230mm 1/32
印　张	10.5
字　数	216千字
印　数	59001–65000册
版　次	2010年5月第1版
印　次	2012年1月第6次印刷
书　号	ISBN 978-7-5417-3938-5
定　价	20.00元

献给林恩和史蒂夫·威曼,并致以衷心的感谢。

特别感谢基立·鲍德卓。

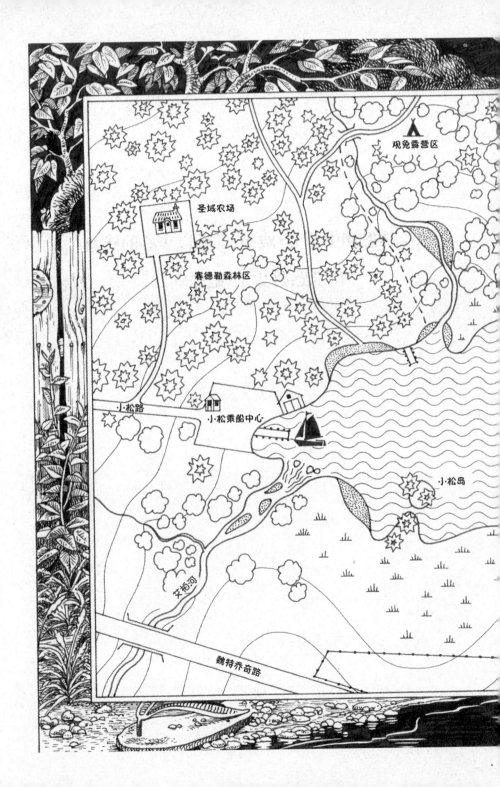

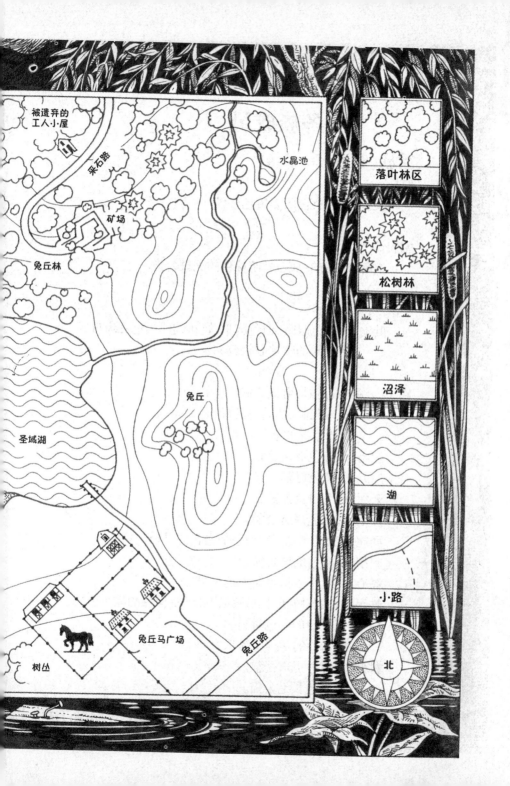

各族成员

雷族(Thunderclan)

族长

  火星：外表英俊的姜黄色公猫。

副族长

  黑莓掌：琥珀色眼睛、暗棕色的虎斑公猫。

巫医

  叶池：琥珀色眼睛、白色脚爪、娇小的浅褐色虎斑母猫。
  　　　所指导的学徒是松鸦羽。

武士(公猫和母猫均可成为武士。)

  松鼠飞：绿眼睛、暗姜色的母猫。
  　　　　所指导的学徒是狐爪。

  尘毛：黑棕色虎斑公猫。

  沙风：姜黄色母猫。

  云尾：长毛白色公猫。

  蕨毛：金棕色虎斑公猫。

  栗尾：琥珀色眼睛、玳瑁色加白色的母猫。

  刺掌：金棕色虎斑公猫。

  亮心：白色带姜黄色斑点的母猫。

  蛛足：琥珀色眼睛、四肢修长、肚子是棕色的黑色公猫。

  白翅：绿眼睛的白色母猫。
  　　　所指导的学徒是冰爪。

  桦落：浅棕色虎斑公猫。

  灰条：纯灰色长毛公猫。

莓鼻:乳白色公猫。

榛尾:娇小的灰白相间的母猫。

鼠须:灰白相间的公猫。

炭心:灰色虎斑母猫。

蜜蕨:浅棕色虎斑母猫。

罂粟霜:玳瑁色母猫。

狮焰:琥珀色眼睛的金色虎斑公猫。

冬青叶:绿眼睛、黑色母猫。

学徒(六个月以上的猫,正在接受武士训练。)

狐爪:红色虎斑公猫。

冰爪:白色母猫。

猫后(正在怀孕或照顾幼猫的母猫。)

香薇云:绿眼睛、身上有深色斑点的浅灰色母猫。

黛西:乳白色长毛母猫。

米莉:体态娇小的银色斑纹母猫。

长老(退休的武士和退位的猫后。)

长尾:苍白带有暗黑色条纹的虎斑公猫,因视力减退而提前从武士岗位退休。

鼠毛:娇小的深棕色母猫。

影族(Shadowclan)
族长

黑星:白色大公猫,脚爪巨大黑亮。

副族长

　　黄毛:暗姜黄色母猫,曾为泼皮猫。

巫医

　　小云:个头非常小的虎斑公猫。

　　　　所指导的学徒是焰爪(学徒之前叫小火)。

武士

　　橡毛:小个子的棕色公猫。

　　　　所指导的学徒是虎爪。

　　烟足:黑色公猫。

　　　　所指导的学徒是鹰爪。

　　花楸掌:姜黄色公猫。

　　常春藤尾:玳瑁色加白色的母猫。

　　　　　　所指导的学徒是曙爪。

　　蟾足:深棕色公猫。

　　乌霜:黑白相间的公猫。

　　　　所指导的学徒是橄榄爪。

　　杂毛:毛发凌乱的虎斑母猫。

　　鼠痕:棕色公猫,背部有疤痕。

　　　　所指导的学徒是鼬爪。

　　蛇尾:深棕色公猫,尾巴上带有虎斑条纹。

　　白水:白色长毛母猫,一只眼睛是瞎的。

　　　　所指导的学徒是红爪。

　　褐皮:绿色眼睛的玳瑁母猫。

猫后

　　雪鸟:纯白色母猫。

长老

　　杉心:暗灰色公猫。

　　高红:长腿、淡褐色的虎斑母猫。

风族(Windclan)

族长

　　一星:棕色虎斑公猫。

副族长

　　灰脚:灰色母猫。

巫医

　　青面:短尾棕色公猫。

　　　　所指导的学徒是隼爪。

武士

　　裂耳:虎斑公猫。

　　枭羽:亮棕色虎斑公猫。

　　鸦羽:蓝眼睛的灰黑色公猫。

　　白尾:小个头白色母猫。

　　夜云:黑色母猫。

　　金雀花尾:蓝眼睛、灰色和白色相间的猫。

　　鼬毛:白色脚掌的姜黄色公猫。

兔泉:棕色加白色的公猫。

叶尾:琥珀色眼睛的深色虎斑公猫。

　　　所指导的学徒是蓟爪。

露水:身上带有斑点的灰色虎斑母猫。

　　　所指导的学徒是莎草爪。

柳掌:灰色母猫。

　　　所指导的学徒是燕爪。

蚁毛:棕色公猫,有一只耳朵是黑色的。

烬足:灰色公猫,有两只脚爪是黑色的。

　　　所指导的学徒是太阳爪。

石楠尾:蓝眼睛的浅棕色虎斑母猫。

风皮:琥珀色眼睛地黑色公猫。

长老

晨花:花斑母猫。

网脚:暗灰色虎斑公猫。

河族(Riverclan)

族长

豹星:身上长有醒目的金黄色斑点的虎斑母猫。

副族长

雾脚:蓝眼睛的暗灰色母猫。

巫医

蛾翅:琥珀色眼睛、漂亮的金色虎斑母猫。

所指导的学徒是柳光。

武士

黑掌:棕黑色虎斑公猫。

田鼠齿:娇小的棕色虎斑公猫。
　　　　所指导的学徒是鱼爪。

芦苇须:黑色公猫。

藓毛:玳瑁色母猫。
　　　　所指导的学徒是卵石爪。

榉毛:浅棕色公猫。

涟尾:深灰色公猫。
　　　　所指导的学徒是锦葵爪。

灰雾:灰色虎斑猫。

曙花:浅灰色母猫。

斑鼻:带有灰色斑点的母猫。

扑尾:姜黄色和白色相间的公猫。

薄荷毛:浅灰色虎斑公猫。
　　　　　所指导的学徒是荨麻爪。

獭心:深棕色母猫。
　　　　所指导的学徒是喷嚏爪。

松毛:短毛虎斑母猫。
　　　　所指导的学徒是知更爪。

暴雨:蓝灰色斑纹公猫。

暗毛:棕色虎斑母猫。
　　　　所指导的学徒是铜爪。

猫后

冰翅：蓝眼睛的白色母猫。

长老

巨步：绿眼睛的暗棕色母猫。

燕尾：绿眼睛的暗棕色母猫。

石流：灰色公猫。

族群以外的猫（Cats Outside Clans）

日神：浅黄色眼睛、白色和棕色相间的长毛公猫。

黑烟：肌肉发达的灰白色公猫，住在马场附近的谷仓里。

细毛：娇小的灰白色母猫，住在马场附近。

波弟：带有灰色口鼻，体态丰满的老虎斑猫。

金戈：暗棕色虎斑母猫。

虎萨：有着宽阔肩膀的灰色公猫。

褐斑：带有棕色斑点的母猫。

弗利兹：黑白相间的公猫，耳朵被撕裂了。

豆荚：灰色口鼻、骨瘦如柴的棕色公猫。

黑玉：黑色长毛公猫。

梅丽：姜黄色和白色相间的母猫。

奇尔普：苍白的灰色虎斑公猫。

其他动物（Other Animals）

午夜：一只懂占卜的母獾，住在海边。

拂晓之光
SUNRISE

引 子

　　月光如水,在石谷中流淌,周围恍如白昼。可就在灌木之下、岩边崖底,黑影像利爪般展开。叶池蜷伏在蜡毛瘫软的尸体上,苍白的月光将他的灰色皮毛映成了银色。她正在为他梳理毛发,准备安葬他。松鸦羽在一旁帮忙。他一边将蜡毛的尾巴将直,一边把尾毛抖松,好让它干燥起来。

　　叶池抬起头,凝视着武士祖灵投射下来的闪烁寒光。"蜡毛,愿星族照亮你前行的道路。"她尽量让自己的语气在寒冷的空气中舒缓下来。每当一名族群武士逝去,巫医就会重复这样的句子,谁也数不清经历了多少个四季更替。"愿你成为优秀的猎手,拥有闪电般的速度,即便休眠,也尽享庇护。"

　　这些话本该带给她安慰,让她相信陨落的武士会获得长久而快乐的生活。但此刻,它们却比荆棘伤她更深。她的脑海中尽是发现蜡毛颈部一排整齐齿痕时的那一幕。那不可能是狗留下的,因为齿痕太小;不是狐狸的,太干净了;也不是獾的,过于锋利。只有猫才会留下那样的齿痕。可究竟是哪只猫呢? 谁对蜡毛有如此的深仇大恨,以至于冷血地杀害了他? 从伤口来看,甚至

看不出蜡毛曾经作过任何挣扎。这到底是一场光明正大的边界冲突,还是一次盗猎血斗?会是一只风族猫干的吗?抑或是一只路过的泼皮猫?伟大的星族啊,请给我启示吧!

一想到可能是某只雷族猫谋杀了蜡毛,叶池就感到脊背发凉。没错,蜡毛心直口快,刚愎自用,但凡是值得敬重的武士都是这个样子。有没有可能是他的同族伙伴出于某种原因,而意图要他的命呢?

叶池再次俯身在蜡毛的尸体旁,开始清理这位逝去武士脚掌上的泥土和沙砾。忽然,有个又轻又软的东西碰到了她的口鼻,她缩回身子,看到蜡毛的爪子里攥着一绺毛。

不!这不可能是真的!叶池再度凑近,嗅闻那绺毛的味道。我认得这个气味!

她拼命说服自己,这绺毛一定是那些猫中的一只留下的。他们发现蜡毛的尸体漂浮在河族边界的河面上,于是把他拖回了营地。可那绺毛的河水味很浓,不可能来自毛皮干燥的猫。而且,蜡毛的爪子当时已经软弱无力,即使碰到过另一只猫的身体,也只应该弯曲下来,而不是拔下一绺毛。

这绺毛只可能来自于杀死蜡毛的凶手。

叶池屏住呼吸,开始浑身发抖。她轻轻地抽出那绺毛,将它拿到自己的巢穴中,并用颤抖的爪子吃力地把它放在一片叶子上,然后折好包紧。接着,她把它放在储藏的药草后面,深深地塞进最里面一捆药草后的岩缝里。蜡毛之死的真相绝对不能泄露!

除了死亡,这种情形比她能想象到的任何痛苦都更加恐怖。

她问自己：一切都是我的错吗？

伴随着一声怒吼，黄牙纵身跃向蓝星，猛地将她扑倒在星族曾经走过的这片茂盛的森林草地上。"全都是你的错！"她大吼着，"要不是你把那个该死的秘密留在雷族，直到溃烂，这一切都不会发生！"

蓝星用后掌猛踢黄牙的腹部，但没能摆脱这名前任巫医的控制。"你这是怎么了？"她嘶喊道，"别忘了，我曾是你的族长！"

黄牙对眼前这位曾经的雷族首领的所有敬重，早已消失得一干二净。她已经预见到雷族可怕的未来。此时此刻，她们过去所拥有的共同经历顿时灰飞烟灭。

"你的秘密就像藏在苹果里吞噬汁肉的蛆虫。"黄牙咆哮着，龇牙咧嘴地凑到蓝星耳边，"整个雷族正在溃烂——在真相到来之前，会流更多的血！"

"你怎么知道会那样？"蓝星反驳道，同时绷紧身子，想把对手甩开。

"瞎眼的兔子都看得出来！真相一定会大白的。午夜已经把这一切都告诉了日神。我们都知道，日神将会回到雷族。"

蓝星用尽她的武士本能，一头撞向黄牙的胸膛，然后吃力地滑向一侧。黄牙却突然放弃了，她跃到旁边，站在那儿抖动着竖立起来的灰毛。

蓝星挣扎着站稳，吃力地喘着气。"这一架是为了什么？"等到气息平稳下来，她恼怒地尖声喝道，"伤害已经造成——不管

你说什么,这都不是我的错。"

黄牙不屑地哼了一声。

"我还是无法相信,午夜竟然背叛了我们。"蓝星继续说道,"我还指望她守护族群呢。"

"叛徒并不是午夜。"黄牙毛发倒竖,一语挑明,"背叛早已开始,伴随着最早的谎言,伴随着你这么多个季节来隐藏的秘密。雷族一直生活在一个谎言之中!如果这三只猫真像预言中所说的那么强大,他们本该有办法应对真相。除非你认为,我们从一开始便误解了他们。"

"从来没有!"蓝星反驳道,"这三只猫还能是其他猫吗?我并不想撒谎!"她补充道,声音已近哀号,"但我能在什么时候告诉他们呢?他们一直都很幸福。松鼠飞和黑莓掌是称职的父母。告诉他们真实的过去,会有什么好处?"

"我们很快就会弄清楚了。"黄牙咆哮着,"再老的秘密也无法永远隐藏下去。"她挥动着尾巴,迈步离开,但又停了下来,回头望向身后。"如果这三只猫还不够强大,无法应对真相,"她接着说道,"那么你,蓝星,将会毁灭这个你如此深爱的族群……"

第 一 章

　　狮焰大步穿过森林,枯死的凤尾蕨在他的脚掌下沙沙作响。光秃秃的树梢之上,黑暗的天空空荡荡的。一阵恐惧袭来,这名年轻武士的颈毛不由得竖了起来,他从头到尾打了个寒战。

　　这是一个连星族的光芒也无法照耀的地方。

　　他放轻步子,沿着丛生的羊齿蕨前行,同时不停地嗅闻灌木下的气味,可他并没有发现其他猫的味道。我已经受够了,他一边想,一边从一处丛生的荆棘中把尾巴拖出来。他凝视着树木间蔓延的黑暗,恐慌也随之袭来。万一我再也无法走出这里,那该怎么办?

　　"你是在找我吗?"

　　狮焰跳了起来,迅速转过身:"虎星!"

　　体型庞大的武士出现在一处荆棘丛旁。他斑驳的皮毛发出奇怪的光泽,但这既不是因为月色,也不是因为星光。相反,它让狮焰想起了枯死树木上霉菌泛起的光晕。

　　"你错过了很多训练。"虎星喵了一声,迈步向前走来,直到离这名雷族武士只有一条尾巴的距离,"你应该更早回来的。"

"不，我不应该！"狮焰脱口而出，"我根本就不该来这里，你也不该训练我。黑莓掌不是我的父亲！你也不是我的血亲！"

虎星眨了眨眼，但并没有表现出诧异的神情，甚至连耳朵都没有动一下。他将琥珀色的眼睛眯成了一条缝，似乎在等待狮焰接下来的话。

"你……你早就知道！"狮焰低声说道。周围的树木仿佛旋转了起来。如此看来，松鼠飞不是唯一隐藏秘密的猫！

"我当然知道。"虎星耸了耸肩，"但这并不重要。你很想让我告诉你，对吗？"

"可是——"

"血统并不代表一切。"虎星吼道，他咧着嘴，露出了闪着寒光的利齿，"去问问火星吧。"

怒火在狮焰体内燃烧，他感到脖子上的毛竖了起来："火星比你优秀得多！"

"别忘了，他也不是你的血亲。"虎星轻轻地哼了一声，"你现在维护他没有任何意义。"

狮焰盯着眼前这名散发着暗淡光芒的武士。他知道我真正的父亲是谁吗？"你从一开始就知道，我和火星不是血亲。"他低吼道，"你让我相信了一个谎言！"

虎星抽动着一只耳朵："那又怎样？"

狮焰有些气急败坏了。他忽然跃向空中，朝虎星扑去，想把对方撞倒。他猛击虎斑武士的头和肩膀，利爪也没闲着，撕扯下了大把的毛发。但是，怒火激起的冲动充斥着他的大脑，使他变

得行动笨拙,心不在焉。他胡乱挥舞着爪子,却只不过是在虎星的皮毛上不断抓挠。

巨大的虎斑公猫虚晃一枪,闪向一边,同时伸出一只脚掌钩住狮焰的腿,使他失去了平衡。狮焰晃悠悠地跳落在蕨丛中,喘不过气来。但还没稳住心跳,他便感到一只大爪子牢牢地抓住了自己的肩膀,将他压倒在地。

"我可不是这么教你的啊,小武士。"虎星嘲弄道,"你疏于练习了。"

狮焰深吸一口气,奋力地爬起来。虎星往回一跃,蹲伏在合适的距离之外,一双琥珀色的眼睛里燃烧着怒火。

"我会让你看看,到底是谁疏于练习。"狮焰气喘吁吁地说道。

他强压怒火,迅速冷静下来,将所有曾经学过的格斗动作都集中在爪尖上。当虎星扑过来时,他已经作好了准备。他向前俯冲过去,并用身体撞向对手的腹部。就在虎星的脚掌触地的瞬间,狮焰猛地转过身来,对着虎斑公猫的身后就是两掌,然后马上跳到对手的攻击范围之外。

虎星转身面对着他。"这样好多了。"他喵呜着,话语间依然充满了嘲讽,"我把你调教得很不错。"

狮焰还没回过神来,硕大的虎斑猫便已经朝他狂冲而来,但在最后一刻却戛然转向,同时挥舞出一只前掌。狮焰感到,虎星的爪子划过了自己的体侧,鲜血开始顺着抓痕滴落。恐惧立刻袭上他的心头。如果虎星在这里把我杀了怎么办?我真的会死吗?

狮焰不安地想道。

他的大脑一片空白。虎星再度朝他扑来。狮焰仓促躲闪,同时击出一掌,可爪子似乎只是掠过了虎斑猫的皮毛,没能对他造成伤害。

"动作太慢了。"虎星轻蔑地哼了一口,"你得加倍努力。现在你该明白了吧?那个预言并不是为你而准备的。它是为火星的血亲准备的,不是吗?"

狮焰非常清楚,虎斑公猫在尽可能地激怒他,以破坏他的战斗力。我才不听呢! 我要做的一切就是赢下这场战斗!

他再次扑向虎星,并按照那些在漫漫长夜中所学的动作,在空中转体,直接落在虎斑猫宽阔的肩膀上。他用爪子猛挖,并挺直身子,朝虎星的脖子咬了下去。

虎星故伎重施,打算一个转身,顺势把狮焰摔倒,可这次狮焰已有所准备。他一扭腰,便从虎星沉重的身躯下摆脱出来,同时,后爪不停地撕扯对方暴露的腹毛。

"我不会上两次当的! "他嘶吼着。

虎星挣扎着站起身,鲜血从肚子上的一道伤口中涌了出来。他再次跌倒,滚了半圈,四脚朝天。狮焰伸出一只前掌,踩在虎星的胸口上,其他脚掌也伸出爪子,抵住了他的脖子。

虎斑猫仰头怒视着他。忽然间,他那双熊熊燃烧的琥珀色眼睛里流露出了一丝胆怯。"你真的觉得,你能杀了我吗? "他吼叫着,"你永远也办不到! "

"不。"狮焰缩回爪子,退到旁边,"你已经死了。"

　　他转过身，大步离开，身上的毛依然竖立着。他全神贯注地警惕着虎星是否会跟过来，再次扑向他。不过，他并没感觉到那名深色武士有丝毫的动静。很快，虎星便被他留在了身后无尽的树林中。

　　狮焰感到有些发晕。他打败了虎星！他心想，也许我本来就充满了力量……但是，如果我不是预言中的三只猫之一，又怎能战胜虎星呢？

　　他停下脚步，注视着四周环绕的错综复杂的灌木与树林，突然感到异常害怕。我真的想知道我真正的父母是谁吗？他感到非常困惑。这重要吗？或许，最好还是让族猫认为，他还是过去的他。这样，他就能继续努力提高格斗技能了。我已经是雷族最棒的武士了。我就知道，我一定会成为一名伟大的武士！

　　"蜡毛死了。"他大声说道，"松鼠飞不会向其他任何猫说出她的秘密。要是让族猫知道，她骗了他们那么久，他们受到的伤害会非常非常大。为什么不让一切都保持现状呢？"

　　太阳照在狮焰的脸上，他眨眨眼，醒了过来。一小束金色的光柱透过武士巢穴上方的枝叶投射下来，落在他铺满苔藓和蕨叶的窝里。大多数猫已经离开了巢穴。狮焰只看到了毛色灰白相间的鼠须，昨晚是他在营地担任警戒。

　　狮焰张大嘴，打了个呵欠，喃喃自语道："感谢星族，不是我负责黎明巡逻。"

　　他想站起来，却感觉身上的每一块肌肉似乎都在抗议。他觉

得自己从头到脚都疼得厉害，身子一侧的金色虎斑皮毛被血渍缠结了起来。

希望其他猫并没有注意到！他一边想，一边低下头，灵巧而有节奏地用舌头清理腹部的皮毛。

与虎星的一战只是一场梦，不是吗？狮焰还是不明白，为什么身上的疼痛和疲劳感都说明，战斗仿佛真的发生过一样？他被抓伤了，就像一名活生生的武士用爪子撕扯过他的体侧……他不愿去想这些。没关系，因为我永远也不会回到那个地方了。他对自己说，一切都结束了。

整理过皮毛后，他感觉好多了。伤口已经被柔软的毛发遮蔽起来。刚做完这一切，武士巢穴外便传来了几只猫的声音，不过离得有些远，狮焰听不清他们在说什么。他感到很好奇，便马上站起身，弓起背，美美地伸了个懒腰，然后从枝叶间钻出去，来到了空地上。

刺掌正站在不远处，蛛足坐在旁边，云尾则在他们面前踱来踱去，白色的尾巴尖不时地抽动几下。他的伴侣亮心正与香薇云、蕨毛、栗尾坐在一起，不安地注视着他。蜜蕨和莓鼻蜷伏在一边，眼睛紧盯着刺掌。

"蜡毛是被某只风族猫杀死的！"金棕色公猫说道，"这是唯一可能的答案。"

几名听众赞同地点了点头。不过狮焰注意到，还有几只猫正怀疑地交换着眼神。

"火星说，他觉得是我们其中的某只猫干的。"蜜蕨说道。听

上去,她对发表和资深武士不同的看法感到十分紧张。

"族长也曾判断失误过。"云尾说道,"火星并不总是正确的。"

"我敢肯定,我们谁都没有杀死蜡毛。"香薇云温和地补充道,"族猫为什么要杀他呢? 蜡毛在雷族又没有敌人! "

我倒希望这是真的,狮焰心想。

虽然他竭力想要忘记,但那个充满火焰和风暴的夜晚却一直在他的记忆里灼烧。他能听到悬崖顶上烈火的咆哮,看到火舌在自己和弟弟妹妹周围贪婪地舔舐,蜡毛堵在他们原本可以爬向安全地带的树枝尽头。松鼠飞的忏悔再次在耳畔响起,她告诉蜡毛:狮焰、冬青叶和松鸦羽并不是我的孩子。她一直假装对他们遇到的事情毫不在乎,这是挽救他们性命的唯一办法。但松鼠飞却给了蜡毛一件比燃烧的枝条更可怕的武器。狮焰明白,这名灰毛武士会在森林大会上宣告真相。只有死亡才能让他闭上嘴巴,才能永远保守住这个秘密。

"狮焰! 嘿,狮焰,你聋了吗? "

狮焰的思绪回到了现实之中,他看见蛛足正朝自己挥动尾巴。

狮焰有些不情愿地走向猫群,这名黑色武士提醒他:"你是蜡毛的最后一名学徒。你是否清楚他和哪只猫争吵过? "

"尤其是某只风族猫? "刺掌意味深长地抽动着胡须,补充道。

狮焰摇了摇头。"呃……没有。"他回答得很为难。尽管他打

心底里希望事实正如刺掌所说的那样，但他却无法谎称蜡毛和某只风族猫发生过争执。如果族猫信以为真的话，便有可能引发一场雷族与风族之间的全面战争。"蜡毛死之前，我很少见到他。"他接着说道。

其他猫没有继续追问。他终于舒了一口气。

"要是蜡毛和某只雷族猫发生了争执，我们肯定会知道的。"蕨毛坚持认为，"想在族群里隐瞒这种事是不可能的。"

如果你是唯一知道真相的那只猫，那就好了！狮焰心想。

"蕨毛说得对。"栗尾用鼻子碰了碰伴侣的耳朵，"但不管怎么说，我们并不能肯定是一只风族猫——"

"蜡毛死在风族的边界上。"蛛足打断了她，"你还需要怎样的证据呢？"

栗尾转身面对着他，被他尖锐的语调气得颈毛直竖："在开始指责任何猫之前，我们还需要更多的证据，而不仅仅只是知道蜡毛的尸体是在哪儿被发现的。"

蜜蕨和蕨毛赞同地低语着，但狮焰能看出来，大多数猫都认为，风族武士要为蜡毛的死负责。尽管他很担心这样会导致什么后果，但又不得不承认，这使他心中的内疚感得到了些许舒缓。

"我们能让风族就这样蒙混过关吗？"刺掌大声说道。他的耳朵贴在头上，脚爪插进了地里。

"不能！"莓鼻呼地站了起来，"我们必须让他们瞧瞧，雷族不是好惹的。"

武士们在刺掌身边越聚越拢，狮焰的肚子不由得搅动起来。

他们的一举一动仿佛都表明，那只金棕色公猫就是他们的首领，大家都已做好准备，跟随他投入一场为族猫复仇的战斗之中。

"最好是在夜里发动攻击。"刺掌说出了他的计划，"那时候月光一定足够亮，我们能看得很清楚。风族猫一定预料不到厄运的降临。"

"但我们会看着他们受到惩罚。"蛛足抽动着尾巴。

"我们直扑风族营地。"刺掌继续说道，"最好分头行动：一个突击小组从这个方向进攻——"

"你们在说什么啊？"狮焰身后传来了一阵低沉的吼声。

狮焰吓了一跳，回头一看，发现是黑莓掌。其他猫跟他一样，刚才都在全神贯注地倾听刺掌的计划，并没有注意到副族长的到来。

"我们要突袭风族。"蛛足绷紧肌肉，一副随时准备奔出营地投入战斗的样子，"他们中的某只猫杀死了蜡毛，而且——"

"不准袭击风族。"黑莓掌打断了蛛足的话，琥珀色的眼睛中闪烁着愤怒的光芒，"现在还没有证据表明，是风族猫杀害了蜡毛。"

狮焰盯着这只他一直认为是自己父亲的猫。他了解真相吗？狮焰并不清楚。他回想起孩提时代，黑莓掌总是陪着他和弟弟妹妹玩摔跤。他们渐渐长大之后，他又多次提供帮助，给他们提出宝贵的建议。松鼠飞跟蜡毛说过，黑莓掌并不了解真相，但是现在，狮焰已经没有理由再相信她了。要是黑莓掌真的了解实情，那他就真是个出色的骗子。

与松鼠飞一样"出色"。

黑莓掌没有等待族猫的回应。他大步走向通往高岩的光滑岩石。但刚走出几步，他又停了下来，回过头，动了动耳朵，招呼狮焰到他身边来。

"你没事吧？"副族长的声音里充满了安慰，"毕竟，蜡毛是你的老师。"

可我们并不亲近。狮焰不想公开这样说，但他很清楚，自己和蜡毛之间存在着一些问题。他们从来就不了解师徒间的真实纽带是什么。蜡毛恨他，就像恨松鼠飞那样吗？只可惜，狮焰甚至根本不是松鼠飞的儿子。

"我没事。"他低声回答道。

黑莓掌把尾巴尖落在狮焰的肩头上。"我看得出，你的状态不大好。"他的眼神中充满了关切，"有什么想要告诉我的吗？你是知道的，无论何时，你都可以来找我倾诉。"

那一刻，狮焰僵住了。他竭力控制着情绪，才得以继续看着那双温暖的琥珀色眼睛。黑莓掌是在怀疑我吗？

"失去与你那么亲近的猫，你一定很难过。"副族长继续说道，"但我之前就向你保证过，他不会就这样白白死去的。"

然后，他伸出弯曲而长长的爪子，插入山谷的地里。狮焰顿时退缩了，他想象着那几只爪子插进某只罪猫的喉咙……

"要是让我发现是谁干的，"黑莓掌低吼着，"我一定会让他为夺去我同族武士的性命而懊悔！"

说完，他便转身朝高岩走去，可还没等他走到高岩底下，火

星便从洞穴中走了出来。他停顿了片刻,低头看了看空地。冬日里苍白的阳光落在他身上,让他的皮毛如同火焰般耀眼。接着,他轻盈地跳下岩石,来到黑莓掌和狮焰身旁,并朝围在刺掌身边的猫群点了点头。

"发生什么事了?"火星问道。

"族群里有部分猫希望对风族发动袭击。"黑莓掌向他报告说,"真没想到,雷族里会有这么多鼠脑袋的家伙。"

火星抽动着耳朵。"武士的死的确让大家很难接受。"他大声说道,"但现在还不是发动袭击的时候。我会带领一支侦查队去和一星谈谈,看看他是否知道些什么。"

"他肯定知道!"蛛足已经转身面对着他们,挑衅般地竖起了颈毛。

"我们现在就应该发动攻击,不然,雷族将会失去更多的武士!"刺掌大喊道。

火星摇了摇头。"不到必要的时候,引起麻烦是没有意义的。"他警告道。

"可现在有必要了。"刺掌走上前,直到面对面地逼视着族长,"我们的一名武士死了!"

周围的猫立即发出赞同的呼喊声。

"蜡毛的仇一定要报!"

"他是一名优秀的武士!"

"整个族群都尊重他!不可能是雷族猫杀死他的!"

狮焰无法随声附和。对他来说,在族猫面前隐藏内心的恐惧

与焦虑,已经够难的了。族猫都觉得蜡毛是一名既勇敢又忠诚的武士,但他们却不了解,由于松鼠飞选择的伴侣不是他,这只猫曾经试图伤害族群,以此对她进行报复。

火星抬起一只爪子,示意大家安静下来,但呼喊声还是持续了一会儿才停下来。这时,狮焰注意到,一些猫钻进荆棘通道,走进了营地:是沙风带领的一支捕猎队回来了。尘毛、松鼠飞和冬青叶跟着她走进空地。大家先把战利品放到新鲜猎物堆上,然后也都聚集到了火星身旁。

"这是在做什么啊?"冬青叶一来到狮焰身旁就问道。

狮焰紧盯着松鼠飞。族猫们颂扬蜡毛时,她的脸上写满了痛苦。他知道,这只母猫一定也非常清楚他的想法:那名灰毛武士真会伪装,其他族猫完全不了解他的阴暗面。松鼠飞对他的死又了解多少呢?狮焰问自己。但他却不想与她目光相对。

"狮焰,发生什么事了?"冬青叶用脚掌捅了捅哥哥,大声重复着这个问题。

狮焰扫视了她一眼。妹妹的绿眼睛里充满了焦虑和不安,看起来就像一个月没睡觉似的。看来她和我的感受一样,他心想。

"因为蜡毛的死,刺掌和其他一些猫想要攻击风族。"他回答道。

冬青叶立即睁大了眼睛。"他们真的认为是风族猫干的吗?"她显得非常惊讶。

"一些猫是这样认为的,但火星——"

狮焰还没说完,族长便转身冲到岩底,跃上了一块大圆石。

拂晓之光
SUNRISE

"所有能够自行狩猎的成年猫都过来集合！"他大喊道。

已经在空地上的猫跟着他走了过去，围坐在大圆石四周。狮焰看到，他们之中依然有一些猫在互相议论，但都压低了声音。

狐爪和冰爪从榛树丛中的长老巢穴里钻了出来，正奋力推着一大团苔藓。鼠毛和长尾紧跟其后，在一团光斑中蜷伏了下来。鼠须从武士巢穴中钻出来，一边打着呵欠，一边抖动皮毛，清理掉粘在身上的苔藓。

灰条和米莉出现在育婴室的入口处，他们的幼崽正东倒西歪地走在身旁。桦落和白翅则缓缓地跟在他们身后。因为怀孕，那只白色母猫的身子很重，桦落紧跟在她身旁。最后出现的是黛西，她在育婴室的入口处坐了下来，并开始认真地清理胸口的皮毛，小蟾蜍和小玫瑰在她旁边打滚玩闹着。

叶池和松鸦羽从巫医巢穴里走出来，但一直待在黑莓帘前面，远离其他族猫。狮焰想吸引弟弟的目光，可松鸦羽根本没看他，而是紧盯着火星。

"我明白，你们都想知道，该如何处理蜡毛被杀的问题。"族长开始说话了，"我向族猫保证，杀死他的猫一定会受到应有的惩罚。但现在，没有证据显示风族与这件事有关。"

"对我来说，证据已经足够了。"蛛足嘟囔着。

火星没有理会他。"我会带领一支侦查队去和一星谈谈。我们并不是去指责他，或者袭击他的族群。蜡毛死在风族的边界上，或许，一星手下的某个武士看到过什么。"

猫群中立即传出了一些反对的低语声。刺掌伸缩着爪子，但

并未开口。

"黑莓掌，你和我一起去。"火星继续说道，"还有蕨毛、栗尾和狮焰。我们现在就出发。"

听到火星说出自己的名字，狮焰心头一震。他很想反对。一想到要加入对蜡毛之死的调查，他就感到无比的厌恶。但他很清楚，如果自己真的拒绝，只会引起其他猫的注意。他没有理由拒绝这个命令。在其他猫看来，他应该对蜡毛的死感到震惊，并像他们一样，一心想要复仇。

"太好了。"冬青叶悄悄地对他说，"等你回来之后，一定要告诉我都发生了些什么。"

"好的。"狮焰自语道，"其实，我宁愿置身事外。"

火星跳下圆石，穿过猫群。黑莓掌走在他身后，蕨毛和栗尾马上跟了上去。

火星挑选的都是不愿意袭击风族的猫，狮焰意识到，族长并不想去冒险。

火星带领他们钻过荆棘通道。在离开之前，他转过身来，朝灰条甩了甩尾巴，示意他上前。"注意观察刺掌和其他猫。"他小声对灰毛武士说，"一定要确保他们不会去尝试私自发动攻击。"

灰条面无表情地点点头："放心吧，我会盯着他们的。"

狮焰和其他猫跟随火星一起穿越树林，朝风族边界进发。落叶在脚掌的踩踏下沙沙作响，秃叶季的阳光没能穿透的树影里，每一片叶子上都还凝着霜。光秃秃的枝条优雅地指向天空。

侦查队肃穆无声地跟在火星身后。狮焰走在最后面。他敢肯

定，其余的猫都很不安。他们走几步就停下来探测空气里的气味。突然，一粒橡树果落到灌木丛中，栗尾猛然转过身，并不安地挥动着尾巴。

"已经不像是在我们的领地里了。"当她意识到自己判断失误时，又厌恶地说道，"到处都可能隐藏着危险。会不会是某只泼皮猫杀害了蜡毛呢？"

"有可能。"蕨毛用尾巴尖碰了碰伴侣的肩膀，"但你和我们在一起会很安全的。一只猫不可能战胜整支侦查队。"

"那个吃鸦食的令猫讨厌的日神可能还在附近游荡。"栗尾继续说道，"谁都不知道他被影族驱逐后，到底去了哪儿。"

火星已经停下脚步，正等待着族猫，听到这里，他饶有兴致地动了动耳朵："你说得对，我们要对他的行踪保持警惕。回到营地之后，我会向族猫宣布这一点。"

"在我看来，日神不是那种会杀害同类的猫。"黑莓掌若有所思地说道，"让其他猫去做这些脏活，更像是他的风格。"

火星点了点头："没错。也许他正试图做某些危害雷族的事情时，被蜡毛撞上了。"

"也许是因为日神进入雷族领地，蜡毛才攻击了他。"蕨毛说道，"为了保护族群，他连獾都敢斗。"

"他是一名忠诚的武士。"黑莓掌对此表示赞同。

狮焰感到很苦恼，他真希望自己也能有他们那样的感受，能由衷地为死去的族猫而哀伤。尽管蜡毛的忠诚是出了名的，但这无法阻止他想要在森林大会上揭开松鼠飞的秘密，令雷族声名

扫地的做法。蜡毛已经承认,他曾与鹰霜密谋,想借黑莓掌之手除掉火星。他对松鼠飞的怨恨已经摧毁了他对雷族的忠心。可现在,他死了,他的族群将他视为一位英雄。此刻,狮焰很想把真相告诉每一只猫,但他很清楚,随之而来的毁灭将更加惨烈。侦查队重新启程时,他只能在队尾拖着沉重的步子,心里一遍遍地诅咒这种被迫保持的沉默,并诅咒自己。

"你没事吧?"黑莓掌放慢脚步,走到他身旁,"我知道,你一定是在思念蜡毛。"

黑莓掌的误解让狮焰怒火中烧。"我很好啦!"尽管他知道,这样说很不合常理,但还是忍不住大吼了一声,"让我安静一会儿,好吗?"

黑莓掌睁大了双眼,但没说什么,只是点了点头,再次加快步子,追上了火星。

"你不该冲他发火。"栗尾走到狮焰身旁,鼻子凑到他耳边说道,"黑莓掌只是在担心你,当父亲的都这样。"她琥珀色的眼睛里流露出关爱之情,"我的孩子们都已经成为了武士,但在我看来,他们永远长不大。"

狮焰尴尬地朝她点了点头,但没有回答。秘密如同猛涨的洪水顿时将他淹没,把他与族猫分隔开来。黑莓掌并不是我的父亲!狮焰真想放声大吼。你说过的一切都是谎言!

第二章

　　火星带领侦查队抵达作为风族边界的小溪时，一阵寒风吹了过来。狮焰朝岸边走去，突然感到脚掌刺痛起来。这里离发现蜡毛尸体的地方很近。他试图不去回忆，不去想那具卡在岩石后面、随水起伏的湿滑尸体。然而，对于蜡毛的死，他并不感到遗憾。

　　族猫甚至没有探测一下周围的气息，便跃过小溪，踏上了风族的领地。狮焰猜想，他们一定也是因为想起了在此死去的武士而感到恐惧。火星带领族猫继续奔跑，直到身后的小溪被岩石和芦苇遮住。

　　狮焰嗅了嗅空气，打了个冷战。空气中有一股很浓的雪的气味，一定是从山上飘来的。地平线笼罩在暴风雨般的黑色阴霾中。狮焰知道，那是远方的急水部落的家。他们过得怎么样?他无从得知。对于部落猫而言，秃叶季应该更加艰难，光秃秃的岩石上覆盖着厚厚的雪，猎物也少得可怜。可我希望我能回去，他在心里对自己说。狮焰明白自己内心的渴望，回去的意思不仅仅是指回到山地，也是指时光能够倒流。和部落猫在一起的时候，

我知道自己是谁,知道我的命运将通往何方。

"注意!附近有风族猫。"火星警告道。

狮焰愧疚地向前一跃。因为心里一直想着部落猫,他完全没有注意到,风族的气味已经十分强烈并且新鲜。他第一次开始思索,他们此次执行任务会有什么结果。现在,雷族和风族之间依然存在着敌意。一星一定会瞅准机会,从火星所提的问题中找到口实。

雷族族长径直穿过高沼地,奔向风族营地,武士们走在他的两侧。风吹动着他们的皮毛,一阵疾风差点儿把栗尾掀倒。

"真是无法想象,为什么会有猫选择住在这里!"她摇摇晃晃地试图站稳,不满地说道。

"因为我们喜欢这里!"一声洪亮的呼喊从高沼地上传来。

狮焰抬起头,看到一支风族巡逻队出现在了山脊上。带队的是裂耳,刚才正是他在说话,此外还有鸦羽、白尾和石楠尾。

狮焰和石楠尾目光相对时,在这位曾经的朋友——甚至比朋友还要亲密的猫的眼中,看到的只有冰冷的蔑视。回想过去,为了与石楠尾在山洞里见面,哪怕是必须要违背武士守则,他也毫不在乎,他依然觉得那是他这辈子最开心、最无忧无虑的时光。可现在,她却似乎可以为了几根鼠尾草就要了他的命。狮焰想象着自己的尸体漂浮在河流中的样子,不禁打了个寒战。

"你好,裂耳。"火星朝靠近的风族巡逻队点了点头。

"你们在这里做什么啊?"裂耳十分警惕,但并无恶意。不过,鸦羽的颈毛已经直立起来,白尾则伸出了爪子。

"我得和一星谈谈。"火星解释道,"我们能造访你们的营地吗?"

裂耳犹豫了,他疑惑地眯起了眼睛,接着生硬地点了点头:"好吧,但我们得护送你们。你们最好别惹是生非。"

"我们只是想谈谈。"火星承诺道。

裂耳带头朝通往风族营地的山上走去。鸦羽和白尾分别走在雷族侦查队的两侧,石楠尾殿后。狮焰敏感地意识到,她就走在自己身后,她的目光犹如一根尖利的棘刺,似乎要将他穿透。

最终,裂耳带着猫群登上了长坡,走向被荆豆丛环绕的风族营地。钻过荆棘丛时,狮焰停了下来,低头往下看了看。这里的景象十分萧瑟:苍凉的荒野上有一片宽阔的空地,石头在贫瘠的土地上肆意凸起。除了那个被獾遗弃的巢穴——如今的长老巢穴之外,这里唯一的屏障便是扭曲的荆棘丛。

狮焰看到,一星正坐在空地中央,与风族巫医青面交谈着。其他一些风族猫,包括副族长灰脚和鸦羽的儿子风皮,正站在周围倾听。

狮焰注意到,青面的姿势和表情流露出了某种急迫,他不禁好奇地伸出了爪子。狮焰听不清他在说什么,但看上去是在向族长报告一件非常严肃的事情。

到底是什么事啊?狮焰很想知道。他们不可能了解任何关于蜡毛的事!

突然,裂耳冲下山坡,报告有客来访。一星抬头看了看,见是火星和其他几只雷族猫,便略微犹豫了一下,然后很快对青面说

了些什么。巫医点了点头。一星用尾巴示意,火星可以带领武士们进入营地。

"你好,一星。"火星在风族族长跟前停下,并点头致意,"谢谢你允许我们和你交谈。"

从一星回馈给火星的表情,完全看不出他们过去的友情。"有什么事你就说吧。"他谨慎地说道。

一星这种尖锐的口吻,不禁让狮焰怀疑风族是不是出了什么问题。也许他有什么事不愿让雷族知道。然后,狮焰环顾着四周,发现所有的风族猫看上去都很瘦小,一副没吃饱的样子。不过对于风族而言,这应该是常态。

"我希望和你单独谈谈。"火星说道。

一星的颈毛立即竖立起来,他摇了摇头:"想说什么,就当着我们族猫的面说吧。"

这时,灰脚立即走上前来,站在她的族长身旁。她没有开口,只是用冷静、清澈的目光审视着雷族猫。

"怎么样啊?"一星催促道。

"如果你希望如此,那就照你说的做吧。"火星继续说道。狮焰的肚子不由得搅动了起来。"召开森林大会的那天晚上,我们在风族边界的小溪中发现了蜡毛的尸体。他的喉咙处有一道伤口。我们认为,他是被某只猫杀害的。"

风族武士们立刻被激怒了,一个个毛发倒竖。风皮则发出一声愤慨的吼声。

一星甩动着尾巴,用力地将爪子插进地里。他的双眼喷射出

怒火。"你们怎么敢怀疑我们和这件事有关呢?"他嘶喊道,"杀死你的武士,对我们没有任何好处!"

"风族是忠于武士守则的!"鸦羽咬牙切齿地咆哮道。

狮焰立即打起精神,准备投入这场随时都可能爆发的战斗之中。但火星依然镇定自若,甚至连尾巴尖都没有抽动一下。

"没有猫在指责你们。"他继续说道,"我们只是想问问,那天晚上,风族猫是否在边界上看到了什么。"

"看到什么?看到我的一名武士杀死了蜡毛?"一星的毛发依然愤怒地抖动着,"先查查你自己的族猫吧,火星。你该去怀疑他们是否忠于武士守则,而不是我们。"

狮焰觉得自己颈背和肩头的毛都竖了起来。蕨毛和栗尾跟他一样,而黑莓掌面对这种隐晦的侮辱时,却只是不停地伸缩利爪。如果雷族有混血猫呢?狮焰忍不住心想。但我们都很忠诚。他再次想起了蜡毛被水浸透的瘫软尸体。只有一只猫除外。

这时,他发现石楠尾站在一旁,目光锁定在他身上。她仿佛想激怒狮焰,让他先出击,这样她就能找到一个扑向他、将爪子插进他皮毛的理由。风皮跟她站得很近,他们的皮毛贴在了一起。风族武士正用挑衅的目光迎接狮焰的凝视,像是在说,现在,石楠尾是我的了。

你很讨她的欢心嘛,狮焰回瞪着他。

"这么说来,你们什么都没有看到? "火星压抑着怒气。他的语气非常坚定,像是一定要得到答案一样。

"什么都没看到。"一星像吐鸦食般将这几个字啐出来,"现

你好，一星。
我希望和你单独谈谈。

想说什么，就当着我的族猫的面说吧。

如果你希望如此，那就照你说的做吧。

我们在风族边界的小溪中发现了蜡毛的尸体。我们认为，他是被某只猫杀害的。

在,请离开我们的领地。灰脚,带两名武士送他们去边界。"

副族长冲他微微一点头,然后用尾巴召唤裂耳和风皮。两只猫目光凶狠地朝雷族侦查队走去。

火星朝风族族长点了点头:"谢谢你,一星。如果有任何线索,你愿意给我们送个信吗?"

一星没有回答。狮焰努力保持着自己的威严,并与其他族猫一起,跟在火星身后朝空地边缘走去,然后穿过荆豆丛屏障,进入到旷野。

在带领火星的侦查队返回边界的途中,风族猫一言不发。灰脚的速度很快,但狮焰很想冲到她前头,回到树林,远离这些充满敌意的冰冷的目光。不过,树林里同样没有安全可言,没有哪个地方可以让他回避蜡毛的死,以及这件事对族群的影响。

来到小溪边的山坡时,灰脚停了下来。"你们可以回营地去了。"她命令风皮和裂耳,"我会看着他们离开边界的。"

"为什么啊?"风皮不解地问道。

"你们得去参加捕猎巡逻啦。"风族副族长回答说,"难道你们觉得兔子会自动跑去营地吗?"

风皮生气地喵了一声,裂耳也显得很是不安。他们一步一回头地重新爬上山坡,消失在通往营地的方向。

灰脚静静地看着族伴消失在视野中,然后转过身,冲着火星发出了一声叹息:"我想单独和你谈谈,火星。有些事我必须告诉你。"

狮焰的肚子顿时搅动起来。那天晚上,灰脚会不会就在河

边？她会说出那只用牙齿夺去蜡毛性命的猫的名字吗？但是，风族副族长看起来非常冷静，不像是一只目睹过谋杀事件的猫。

"说吧。"火星显得很平静。

"几天前，"灰脚开始讲述，"我带领族猫沿着河边进行黎明巡逻时，发现了日神。你还记得吗？就是那只曾一度控制影族的猫。"

"日神？"火星睁大了绿色的眼睛，"我还以为他离开湖边了呢。"

"不。至少几天前，他还在这里出现过。"

"那一星为什么不告诉我呢？"火星由震惊变得愤怒起来。

灰脚耸了耸肩，看上去很不自在。狮焰知道，她是一只公正的猫，看到自己族群与雷族之间的气氛如此紧张，她并不开心。但对一星的忠诚，使得她不会在公开场合说出这些话来。

"蜡毛的死是你们的问题，不是我们的。"她马上指出，"你们闯入风族营地，指责一星，说他的族猫是凶手，还指望他能高兴吗？"

"我们并没有——"黑莓掌感到愤愤不平，琥珀色的眼睛里燃烧起了怒火。

火星扬了扬尾巴，示意他安静。"那现在，就让我们消除这个误会吧。"他对灰脚说，"我们并没有责怪风族。我们只是希望，尽可能了解与蜡毛之死有关的事情。现在，请告诉我们关于日神的事情吧。你是在哪儿见到他的？什么时候？"

"大概七、八天之前。"灰脚回答说，"当时，他在湖附近，就在

溪边靠你们那一侧的树林里。我想,他并没有看到我们。他当时正忙于吃刚刚捕获的猎物。"

"盗猎的家伙!"栗尾哼了一声。

"那不是蜡毛死的当天。"蕨毛若有所思地低语道,"但日神所在的地点,距离我们发现尸体的地方很近。"

"非常近。"火星表示同意,"谢谢你,灰脚。这是至今为止我们得到的最有用的信息。"

灰脚点了点头:"很高兴我能帮上忙。祝你和你的族群好运,火星。"

狮焰看得出,她的眼睛里流露出一股同情的神色。她知道我们遇到了麻烦,狮焰意识到。可她并不清楚这麻烦有多大!

火星带领侦查队回到营地时,太阳就快落山了,斜长的影子开始在石头山谷中蔓延。猫后们和桦落正在育婴室外懒洋洋地聊天。云尾、亮心和榛尾则蜷伏在新鲜猎物堆旁。狐爪和冰爪正在学徒巢穴外练习格斗动作。狮焰听到冰爪喊道:"风族凶手!我会撕烂你的皮!"

火星叹了口气,说道:"我们最好阻止这种情绪的蔓延。我会立刻再召开一次会议。"

黑莓掌吃惊地抽动着胡须:"我们不需要先和资深武士们商量一下吗?"

火星摇了摇头:"不需要。整个族群都被卷进来了。我希望赶在这些头脑冲动的家伙对风族发起偷袭前,立刻让他们知道日

神的存在。"

他穿过空地,奔向圆石,可没等他抵达那里,榛尾就发现了返回营地的武士们。她一跃而起,大喊道:"嘿!火星回来啦!"

武士巢穴入口的枝条中探出了一个个脑袋。猫后们坐直身子,竖起耳朵,五只小猫也趺趺撞撞地从育婴室钻了出来,磕磕绊绊地嬉闹着。松鸦羽从黑莓帘后探出头,嘴里还叼着一把药草。等火星登上高岩时,他已经没必要召集族猫了,所有猫都已聚集在空地上,想听听风族的回复。狮焰、黑莓掌和侦查队的其他成员走到猫群后边坐了下来。

"你们发现了些什么?"刺掌坐在圆石下抬头喊道,"什么时候发动进攻?"

"我们不会进攻的。"火星回答说,"风族猫没有杀害蜡毛。"

群猫不安地议论起来,但火星没等到争论发生,便很快接着说道:"要不是我告诉他们关于蜡毛的事,一星和他的武士们对蜡毛的死还一无所知呢。灰脚向我提供了一条非常有价值的信息,几天前,她在湖边的小溪旁看到了日神。"

蛛足摇摆着尾巴向上一跃:"蜡毛的尸体就是在那儿被发现的!"

震惊和愤怒的吼声随之而起。几只猫站了起来,目光如炬,个个毛发倒竖,仿佛打算立刻就去收拾那只泼皮猫。

"日神杀死了蜡毛!"

"卑鄙的凶手!"

"我们应该找到他,让他知道,泼皮猫袭击武士会有什么下

031

场！"

　　火星扬起尾巴，示意族猫安静。等大家都能听到他说话了，他才继续说道："我们还没有证据。但是——"

　　"还需要什么证据吗？"鼠毛嘶吼着，"看看他对影族所做的一切吧！"

　　"但他并没有杀害任何一只影族猫。"尘毛提醒她，"他有什么理由杀害蜡毛呢？"

　　鼠毛不屑地哼了一声："我想不出有什么事是这个混蛋做不出来的。"

　　"但他一定得有理由啊。"蕨毛立即声援尘毛，"没有多少猫会只是为了好玩便下毒手。"

　　这时，狮焰回忆起他听过的关于长鞭的故事。长鞭是血族族长，曾经想占据旧森林，他是一只喜欢杀戮的猫，但狮焰并不认为日神也像他那样。

　　"也许当时，蜡毛发现日神出现在我们的领地上。"亮心推测道，"然后，他们之间便发生了战斗——"

　　"可蜡毛死前并没有战斗的迹象啊。"沙风打断了她的话，"除了喉咙，他身上没有任何别的伤口。是这样吗，叶池？"

　　大家同时望向了巫医。叶池正坐在巫医巢穴外，远离聚集在高岩下的猫群。她冲沙风生硬地点了点头，但没有说话。

　　"好吧。"云尾说道，"也许日神偷袭了蜡毛，想借机在雷族和风族之间制造麻烦。"

　　"这听上去倒像是日神的作风。"松鼠飞赞同地摇了摇尾巴，

"在族群间挑起事端,然后趁机夺取权力。"

"我觉得,我们还需要了解更多的情况。"灰条不动声色地说道,"得知灰脚看见了日神,这很有用,但这并不能说明,咬住蜡毛脖子的就是日神。"

"你说得对。"火星朝前任副族长点了点头,"还有谁能告诉我们更多关于日神的信息吗?"

让狮焰感到意外的是,冬青叶犹豫地举起了尾巴:"我……我见过他,火星。就在湖边,在他被影族驱逐后不久。"

她从没跟我提过这个!狮焰心里十分忐忑,但他随即又想起,他和松鸦羽也没有告诉过她,猫薄荷是他们从风族偷来的。从什么时候开始,我们彼此间有秘密了?狮焰不安地想道。

"快告诉我们,这到底是怎么回事?"火星催促道。

"也没什么。"冬青叶回答说,"日神说族群需要他,他还说一定会回来的。"

云尾抽动着尾巴:"要我说,他是在威胁族猫!"

"为什么当时没向我汇报呢?"火星问冬青叶。

冬青叶立刻垂下了脑袋。"我以为这没什么。"她告诉族长,"我以为那只是他因为失去对影族的控制,气昏了头,说说而已。而且当时,他正沿着湖岸朝风族领地走去。我以为他是要离开。"

"但你还是应该给我说说这件事。"火星提醒她,但语气非常平和,"那样的话,我就能让巡逻队格外注意他了。"

冬青叶盯着自己的脚掌,说道:"对不起哦,火星。"

"还有什么需要我们大家知道的事吗?"族长问道。

"我——我也不确定。"冬青叶犹豫不决地说道,"日神提到,他见过那只叫午夜的獾,但我看不出这和杀害蜡毛有多大关系。"

"或许,这可以告诉我们该如何找到他。"黑莓掌说道,"如果日神认识午夜,那他就有可能是从太阳沉没之地来的!"副族长目光如炬。狮焰很清楚,他一定是想起了那段英雄之旅——从旧森林出发,去寻找那只獾,她会告诉族猫去哪儿寻找新家园。

"那我们该怎么办啊?"尘毛问火星。

"这还用问吗?"刺掌吼道,"当然是去对付日神!"

狮焰还记得,早晨的时候,刺掌是多么的确信风族猫杀害了灰毛武士。他竟然这么容易就改变想法了。但现在,至少没有哪只猫怀疑雷族猫是凶手了。

他心里明白,族猫都愿意把账算在日神头上,因为他是一只泼皮猫。

"我们还无法确定,是不是日神杀死了蜡毛。"火星说道,他的声音压过了赞同刺掌言论的嘈杂声,"但我们要去证实。我会派一只远征队前往太阳沉没之地,找到日神,并把他带回来,然后质问他。如果真的是他杀死了蜡毛,他一定会受到惩罚的。"

一想到可能面对日神,狮焰就感到脊背刺痛。他不清楚自己是否希望加入远征队。那只泼皮猫所知道的事情超乎寻常——似乎比了解其他任何猫都更了解他。也许,日神对于火星所提问题的回答,将是其他猫都不愿听到的。

"黑莓掌,你知道去往太阳沉没之地的路。"火星宣布道,"由

你来带领远征队。蕨毛、榛尾和桦落会跟你一起去。"

　　狮焰发现,桦落歉疚地看了白翅一眼,并凑过身子去舔她的耳朵。他猜测,桦落现在一定不想离开自己的伴侣,因为她即将产崽了。

　　"这次征程可能很危险。"黑莓掌对火星说,"最好能再增加一两只猫。"

　　"没错。"族长环顾着四周,"那就狮焰和冬青叶吧。你们可以在黎明时出发。"

　　狮焰望向妹妹,看到她的颈毛竖了起来,绿色的眼睛里闪烁着光芒,但他说不清她是因为害怕还是过于激动。

　　这时,榛尾站了起来,朝冬青叶走去。"这是不是很棒?"她说道,"这回我们真的要去做帮助族群的事了。"

　　冬青叶抖了抖耳朵。狮焰听不清她的回答。其他族猫围在被选中的猫周围,或祝贺他们,或提出自己的建议。大家似乎都很激动,都想找到并消灭那个凶手。狮焰是唯一一只不大愿意为蜡毛之死复仇的猫。

　　不久之前,他还松了一口气,因为雷族猫已经不再是被怀疑的对象了。把责任推到日神身上是再好不过的事。他真不愿去想,族群猫对外来者,对非族生猫的怀疑,是否仅仅是出自本能。

　　如果我也是一只泼皮猫呢? 他们会反过来针对我吗?

第 三 章

　　松鸦羽静静地坐在那儿，族群里的其他猫都在他周围团团转，紧张而又兴奋地议论着。

　　"我害怕。"松鸦羽听到小黄蜂在旁边说道，"万一日神来营地袭击我们，那该怎么办呀？"

　　突然，一阵沙哑的声音传来，松鸦羽知道，是米莉在轻舔和安抚幼崽。"日神离我们很远很远，小家伙。"她低声说道。

　　"而且，这里有魁梧而又强壮的武士保护我们呢。"黛西补充道，"你觉得，你的父亲会允许任何猫碰你一爪子吗？"

　　小黄蜂的语气一下子轻快了起来："当然不会啦！灰条是最棒的！"

　　松鸦羽真希望自己也能像这个小家伙一样安心。但他明白，糟糕的日子就要来临。恐惧、怀疑、指责将从四面八方涌来，好像族猫都在朝他投掷石块。他突然感到一阵眩晕，脚下的地面似乎不再坚实而稳固了。

　　他听到身旁的鼠毛站起身，用力地叹了口气："如果杀害蜡毛的凶手是想找麻烦，那他已经惹祸上身了。杀死我们的一名武士，这无异于捅了马蜂窝。"

那只猫迟早会被蜇死的。但松鸦羽却不敢去想，杀死蜡毛的凶手可能会遭受些什么。

他从雷族猫混杂的气味中辨认出了狮焰，但哥哥从他身旁经过时，并没有放慢脚步。

"你就要去寻找日神了！"松鸦羽冲他喊道。

狮焰停了下来，回答说："是的。"

松鸦羽非常希望能像过去那样和哥哥说话——轻松，无话不谈。可自从在那个风雨交加的夜晚，他们有了那个共同的秘密之后，这已经是不可能的了。

一阵尴尬的沉默持续着，幸好冬青叶朝他们走了过来。

"你从没告诉过我们，你见过日神。"松鸦羽说道。

他能想象姐姐耸肩的样子："在那时候，这并不重要。"

"即便如此，你也应该说说的。"狮焰不悦地说道，"你明明知道，日神或许能帮助我们解释预言。"

"什么预言啊？"冬青叶恨恨地说道，"对我们来说，根本没有什么预言！"

"但你见到日神时，还不知道这一点。"

听着他们的争论，松鸦羽不由得一阵沮丧。他们的争吵毫无意义，不过，这倒是让他们没去讨论那个更重要的事情：他们当中是否有谁相信，杀死蜡毛的就是日神？

真高兴我不用去，他暗自想道。我可不想在途中一直听他们这样争执！

突然,叶池的声音打断了他的思绪:"松鸦羽,你在这里啊!我想让你帮我准备一些药草给远征队。"

"好的,我来啦。"

他站起身,跟着老师回到了巫医巢穴,留下冬青叶和狮焰在那儿继续争论。他刚一钻过黑莓帘,旅行药草的气味就扑鼻而来。

"我已经全部准备好了。"叶池对他说,"我们接下来要做的就是把它们放到叶片里包裹好。"

能做些事情分散自己的注意力,这令他舒了口气。可任务很快就完成了,他再次回到空地上,嘴里叼着一个给黑莓掌的叶片包裹。此时,族猫对于远征队的兴奋劲儿已经开始消退,都返回各自的巢穴去了。想要将黑莓掌的气味与嘴里强烈的药草气味区分开来,是件很困难的事。不过,松鸦羽最终还是确定了,副族长正和松鼠飞在新鲜猎物堆附近。

"真希望你能和我们一起去。"松鸦羽靠近时,黑莓掌正对伴侣说道,"那段征程留给了我们太多美好的回忆。"

松鸦羽读出了他语气中的渴望。副族长仿佛在追忆一段已经结束的美好时光,并为从那以后出现的一切错误感到惋惜。

他是否知道这种错误有多大呢?

"我也希望我能去。"松鼠飞温柔地回答道,"但在那场战斗中受伤后,我也许就不大适合远征了。"

"你要知道,不用担心日神的。"黑莓掌向她保证,"我会保护你的安全。"

"我知道。"松鼠飞叹了口气。

松鸦羽顿时感到皮毛一阵刺痛。松鼠飞从来不需要其他猫的保护！过去，如果哪只猫敢提出这样的要求，她一定会撕烂对方的耳朵。但现在，她听上去是那么……脆弱。愧疚和渴望潮水般地从她身上涌来，松鸦羽甚至都为她感到难过。

他与她擦身而过，把药草包裹放在黑莓掌的脚下。"这是给你的旅行药草。"松鸦羽说道，"把它都吃了吧，在明天之前，你要保证充分的休息。"

"谢谢你，松鸦羽。"

"嘿，黑莓掌！"灰条的声音从空地另一端传来。松鸦羽听到了他奔跑的脚步声。"火星希望你外出时，由我来代替副族长的职务。我能和你谈谈边界巡逻的事吗？"

"当然。"黑莓掌迅速地吞下药草，"你想了解什么？"

"嗯，我觉得有些猫还是对风族不放心……"

两只公猫穿过空地走远了，声音越来越小。松鸦羽转身想要回到自己的巢穴，松鼠飞却挡住了他。

"松鸦羽，我想和你聊聊。"

"没什么可聊的！"他厉声说道。我也不想听到任何你不得不告诉我的事情。他绕过这只曾被他视为母亲的猫，毅然走向自己的巢穴。他突然感到一阵空虚，仿佛体内被一大片空白所占据。长久以来，他一直相信，那个预言会让他知道自己的身份，以及命运。如果没有预言，他的后半生是否就只能做一名巫医了呢？生下我们的那只猫在哪儿？她发生了什么事？

WARRIORS
猫武士

　　松鸦羽讨厌那种无法掌控命运的感觉。他心神不宁地撞在了巫医巢穴入口处的黑莓帘上，脚掌被长长的卷须缠住，荆棘钩住了他的皮毛，擦破了他的鼻子。他吓了一跳，叫出声来。

　　"松鸦羽！"叶池立即出现在他身旁，"别动。我来把你弄出来。"

　　"我没事！"松鸦羽叫喊着。他从来没犯过这种错误，哪怕还是幼崽的时候！他从黑莓藤中挣脱出来，跌跌撞撞地走进巢穴里，身上的一簇毛似乎已被扯掉了。

　　"你没事吧？"叶池的声音很焦虑，"你的鼻子在流血。我去取些蜘蛛网来。"

　　"我说过，我没事的。"松鸦羽满不在乎地朝她耸了耸肩，并抬起一只脚掌舔了舔，然后从鼻子上抹过。擦伤很痛，但他更受不了其他猫的体贴。

　　她为什么不能让我单独待会儿呢？他一边生气地想，一边走向药草储藏室，去取更多的药草来。她没必要为我担心。我们连血亲都不是！

　　送完所有旅行药草后，松鸦羽抽空到猎物堆去取食。他正在吞咽一只鼩鼠时，突然听到不远处传来了莓鼻的声音。

　　"没错，我就是不信任影族！在日神引发了那么多麻烦之后，黑星能做出任何事情来证明他的族群依然强大。"

　　尘毛气恼的嘶喊声随之响起："你是鼠脑袋吗？你是在说，一名影族武士长途跋涉进入我们的领地，杀了蜡毛吗？"

"有可能。"莓鼻嘟囔着。

"那刺猬都会飞啦。"尘毛立即尖刻地反击。

松鸦羽咽下最后一口猎物,用舌头舔净嘴巴,回到了巢穴。真讨厌!族猫总是在猜测谁杀死了蜡毛!紧接着,他又对自己说:如果他们真的查明真相,情况会更糟糕的。

当他把艾菊拿给患上绿咳症、尚未康复的米莉和小荆棘时,无意中听到了云尾、亮心和黛西在育婴室入口处的对话。

"什么也不用担心,黛西。"云尾对乳白色母猫说道,"虽然有些武士要离开,但我们大多数还是会留下来保护你和幼崽的。"

"灰条说,我们会在营地加派双倍的巡逻队。"亮心补充道。

"我知道你们都很厉害。"黛西似乎还是不放心,"可是,把那只行凶的猫带回这里是正确的吗?"

松鸦羽不想又听到一场关于日神的讨论。他绕过黑莓帘进入育婴室,发现小猫们就像蚁穴里受惊的蚂蚁一样,围成了一团。

"现在,你来当杀手!"小玫瑰尖叫着,用一只爪子拍打着小梅花的耳朵,"我们都来抓你!"

小梅花发出了兴奋的叫喊声。小猫们连滚带爬地打闹成一团,松鸦羽差点儿被他们绊倒了。

"快停下来!"米莉显然吃了一惊,"这并不是有趣的事情。死去的是一名英勇的雷族武士。"

蜡毛活着时,从来没有显得如此重要。松鸦羽心想。

孩子们这才安静了些,松鸦羽把艾菊留下后,便离开了。在

回巢穴的路上,他遇到了火星、沙风、灰条和蕨毛。

"我们无法保证麻烦已经结束。"沙风说道,"如果我是你,火星,我会警告除巡逻队以外的所有猫,让他们都远离风族边界。"

"没错。"灰条随声附和道,"我们可不想在河里发现另一名武士的尸体。"

松鸦羽发出了一声叹息。巡逻和岗哨有什么用呢?凶手就在营地!

一阵晚风吹来,松鸦羽朝猎物堆走去。狮焰、冬青叶正和其他远征队员一起吃东西。就在今天早些时候,他还不知道该跟他们说些什么,而现在,机会来了。

"嗨!"他向大家打招呼,"明天的事准备好了吗?"

"已经准备好啦。"冬青叶回答道。

"没有你同行,感觉很是奇怪。"狮焰用口鼻蹭过松鸦羽的肩膀,"这是我们第一次被迫分开。"

松鸦羽点了点头。他曾经设法完成了前往山地部落的长途征程,但这次,他不得不留在营地。尽管之前对哥哥姐姐感到很不耐烦,可真要和他们分开了,感觉却很异样。尤其是他已经知道,那个秘密的卷须将他们牢牢地绑在一起,任何距离也无法割断这份联系。

"呃……我想该说再见了。"他低声说道。

"我想也是。"狮焰摆动着尾巴。

松鸦羽先和哥哥碰了碰鼻子,然后是冬青叶。

"再见,松鸦羽。"她轻声说道。

松鸦羽知道，他们本该有更多话要说的，但如今在他们之间，紧张的气氛却如同蜘蛛网的丝线般，不住地颤动着。最终，他低下头，呢喃着："愿星族照亮你们前行的道路。"然后，他便朝巫医巢穴走去。

松鸦羽睁开眼，看到荒凉的岩石向两侧延伸，面前就是断崖绝壁。他大吃一惊，赶忙往后跳去。风吹过山巅，他的皮毛泛起阵阵波纹。当他从最初的震惊中缓过神来时，马上认出这里就是他遇到午夜的地方。

松鸦羽抬起头，点点繁星在天空中回旋，速度极快，留下了一道道闪烁的尾巴。他用力将爪子插进薄薄的土层中，生怕跌入空洞的深渊。

这时，他听到脚掌在岩石上刮擦的声音，于是猛地将视线从旋转的星空移开，扭过头去，看到了午夜那庞大的身躯和泛着白色条纹的脑袋。

"你想要怎样？"他尽量不把内心的恐惧流露出来。

"日神并没有杀害蜡毛。"午夜低声说，"你是知道的。这些猫搞错了对象。"她缓缓地靠近松鸦羽，星光在她小小的黑眼睛里闪烁着，"真相必须公诸于世。"

"为什么啊？"这次，松鸦羽没能控制住声音的颤抖。

午夜的话就像落入深渊的石头："否则，你的族群将会遭受永久的毁灭。"

"但是——"松鸦羽想要反驳，但风更大了，盖住了午夜和他

的声音,吹散了獾的幻影,直到他感到自己和午夜、繁星一起,统统落入一个巨大的旋涡之中。

他仿佛撞到了地面,晃了一下,睁开眼后,看到的是自己巢穴里的黑暗。空气里有冰霜的味道,松鸦羽猜测,黎明就要到来了。

叶池在一旁的蕨叶窝中翻了个身。"远征队就要出发了。"她说道,"你要去道别吗?"

松鸦羽昨晚已经说过再见了,但他还是爬出了窝,跟着老师一起走入空地。大部分远征队员已经聚集在荆棘通道旁,火星、灰条、松鼠飞也在那里。

松鸦羽发现了不远处的桦落和白翅。从他们混合的气味可以判断出,他俩靠得很紧。

"你要照顾好自己,要好好休息。"桦落对伴侣说道,"要多吃新鲜猎物,如果感觉哪儿不舒服,一定要告诉叶池……"

"嘘,"白翅充满爱意地低吟道,"我会好好的。又不是只有我生过幼崽!"

松鸦羽从他们身边走过,发现松鼠飞站在桦落旁边,正在和黑莓掌道别。与白翅不同的是,她正竭力控制着自己的感情。松鸦羽不清楚她此刻究竟感觉如何。

"到了太阳沉没之地时,一定要多加小心。"她告诫雷族副族长,"不要太靠近悬崖边缘。那里有可能再度坍塌。"

"我知道。我可不想再游泳了。"黑莓掌故作轻松地说道,但松鸦羽明白,他的淡定是强装的。

"黑莓掌,我再重复一下捕猎巡逻的事吧。"灰条插话进来,"最佳地点是那个旧两脚兽地盘和枯树附近,对吧?"

"是的。"黑莓掌回答说,"如果巡逻队在枯树附近捕猎,一定要谨慎,千万不要越过影族边界。"

"你能做好的,灰条。"火星让灰毛武士放心,"现在,你对领地范围已经非常熟悉了。"

远征队准备出发了,其他猫都朝后退去,让开了路。一种庄重的沉寂在族猫之间弥散开来。松鸦羽感到,那股紧张的情绪忽然更加强烈了。在此之前,还没有猫踏上过这样的远征之路。

"愿星族照亮你们前行的道路。"火星说道,"你们一定会查明真相的。"

不!真相就在这里!松鸦羽咬紧牙关,以免自己叫出声来。午夜告诉他的事情,其实他早已知道:日神并不是凶手。远征队将毫无意义地陷入险境。族猫为什么就不明白,他们得从自己身上寻找答案呢?

他不清楚,族猫能否找到日神,也不知道如果找到了他,又会发生什么事情,以及日神会告诉他们些什么。他突然感到爪子传来一阵阵刺痛。

日神,他知道那个预言……

第 四 章

地面上覆盖了一层厚厚的霜,黑莓掌的远征队穿越森林,朝湖区进发。众猫都一言不发,在凤尾蕨中快步前行,呼出的热气在口鼻周围形成了白雾。冬青叶头顶的天空渐渐放亮,现在已是鸽灰色。

每走一步,她都觉得脚掌快要被冻住了,身上像是被冰冷的爪子抓挠一般。寒冷的空气已经把她的耳尖冻僵。她有些头晕——自从发现了松鼠飞的秘密,她连最小块的猎物肉都难以下咽。之所以能坚持着继续前进,是因为她迫切地想要了解,日神究竟知道些什么。

狮焰快步走在她身旁,表情凝重而僵硬,琥珀色的眼睛紧盯着前方的森林。虽然松鸦羽的缺席令她忐忑不安,但因为有狮焰陪伴,冬青叶多少感到些安慰。

也许松鸦羽留在后方是最好的,她心想,寻找日神的路途对他来说太过艰难。

黑莓掌带队沿着小溪下山,来到湖畔。这里,湖水宁静清浅,表面被一层薄薄的冰覆盖着。

我们都是鼠脑袋吗，在草木凋零的秃叶季踏上这种长途征程？

尽管寒冷，可是，当远征队沿着风族领地的湖岸前进时，紧张的情绪却在渐渐减弱。榛尾放慢了步伐，来到冬青叶身边，两眼放着光。

"太棒啦，对吗？"她轻轻跳了一下，像只激动的小猫，"我们的目的地是其他猫都没有去过的地方耶。"

"事实上，有猫去过。"冬青叶不想听榛尾唠叨，于是干脆挑明，"黑莓掌、松鼠飞和其他被星族选中的猫，都去过太阳沉没之地。"

"那他们一定非常激动！"榛尾感叹道，"你的父母比任何猫去过的地方都要多。他们是多么敢于冒险啊！"

不，他们只是骗子。冬青叶痛苦地想道。

众猫绕过风族领地时，没有看到任何一只风族猫，但当他们抵达马场时，冬青叶却闻到了强烈的风族气息。黑莓掌停下来，抬起尾巴，示意远征队员都停下脚步。他站在那儿，昂着头，下巴开阖着嗅闻空气。

看到周围的猫都竖起了毛发，冬青叶这才意识到，他们是多么的敏感。猫群已经靠近湖畔了，但并没有做出任何与武士守则相抵触的事情。可仅仅一阵风族的气味，就让他们全都把爪子伸了出来。这是蜡毛之死留下的阴影。

"为什么会有麻烦啊？"榛尾困惑地问道，"我们可以在湖边行走的，不是吗？"

没等冬青叶回答，一只灰色母猫便出现在湖岸上，朝远征队走了过来。

"灰脚！"黑莓掌如释重负，"你好。"

"你好，黑莓掌。"风族副族长来到雷族猫跟前，点了点头，"我估计你们会去找日神。你们正是为此而出现在这里的，对吗？"

黑莓掌点点头，说道："不管他是不是凶手，有些问题他都得回答。"

"那我要给你们看些东西。"灰脚说道，"跟我来。"

她带队沿着湖边行走，一直来到马场旁的两脚兽栅栏边上。在已经变得强烈的日光的映照下，栅栏网孔投射下来的影子就像一张巨大的蜘蛛网。

"在那儿。"灰脚偏偏耳朵，朝栅栏方向指了指。一绺长长的泛红的毛发映入大家的眼帘。

黑莓掌凑上前嗅了嗅，然后瞪大了那双琥珀色的眼睛，对远征队说道："是日神。"

冬青叶的心在胸腔里怦怦直跳。日神出现过的证据，令她比任何时候都更清晰地记起了他。他看上去知道很多事，也预测了很多事……可最终却是个叛徒。

"那就是说，他走过这条路！"蕨毛双眼放光，大声说道，"我们跟对了方向。"

"气味已经不新鲜了。"黑莓掌告诫大家，"但还不是很陈旧。日神应该不久前路过了这里。"

灰脚朝自己的领地后退了一步："再见吧,祝你们好运。"

"谢谢你,灰脚。"黑莓掌回答道,"你给了我们很大的帮助。你为什么要这样做呢?"

灰脚抽了抽耳朵："我希望自己的族群安全。在日神制造更大的麻烦之前,他必须被处理好。"没有等待回应,她便转身上了堤岸,消失在山肩。

桦落估摸着她听不到了,于是马上说道："要么,她就是希望我们不再责难风族。"

"也许吧。"黑莓掌说道,"但现在我们不用为这个操心了。大家听着,好好闻闻日神的气味,牢牢记在脑子里。然后,我们接着上路。"

他带领族猫钻过两脚兽的栅栏,穿过空地。地面硬得像石头,脚掌踩在草上嘎吱作响。他们前进的路线靠近木制的马棚。这时,冬青叶闻到了两脚兽和狗的气味,颈毛不由得竖立起来,不过,他们并未出现,也没有发出任何声响。

她希望黑莓掌快点儿走过这里,但事与愿违。他居然在马棚入口处停了下来。"我们为什么要停下来啊?"冬青叶问道。

"不会停很久的。"黑莓掌回答说,"有些猫居住在这里,我希望榛尾能见一下。喂!"他朝开阔地呼喊了一声。

榛尾抬起头,一脸困惑,但还没等她说出话来,两只猫便出现在了阴影处。带头的是一只灰白相间的健硕公猫,一只小一些的灰白色母猫跟在他身后。

"黑莓掌!"公猫显得很惊讶,但非常高兴,"你怎么会在这

里——还有这些猫？希望雷族没有遇到什么麻烦。"

"没什么可担心的。"黑莓掌回答。

"他们是谁啊？"冬青叶低声问狮焰。

狮焰耸了耸肩："不知道。"

"小灰，丝儿。"黑莓掌继续说道，"这是榛尾，黛西的女儿。"他动动耳朵，指了指身旁的榛尾，"榛尾，这是小灰，你的父亲。"

榛尾立即扑上前，用口鼻磨蹭小灰的下巴。小灰发出了高兴的呼噜声，并低下脑袋，舔了舔她的耳朵。"我一直很想念你们。"他低语道。

他把尾巴落在榛尾的肩头，示意她靠近一些。"你还记得丝儿吗？"他提醒榛尾，"你刚出生的时候，她帮黛西照顾过你。"

榛尾似乎不能确定。"我记不清了。"她边说边朝丝儿点了点头，"但我还记得黛西带我们回来时，我在这里见过她。"

"黛西怎么样啦？"小灰问道，"还有其他幼崽……小莓和小鼠？"

"他们都很好。"榛尾眨巴着眼睛告诉他，"现在，他们已经是莓鼻和鼠须了。我们都是雷族的武士。莓鼻被狐狸陷阱夺去了半截尾巴——"

丝儿急忙打断她："他伤得严重吗？"

"不算严重。"榛尾回答说，"叶池——我们的巫医——治好了他。现在，他是一名强壮的武士，鼠须也一样。"

"那黛西呢？"小灰期待着黑莓掌的回答，眼神中流露出一丝哀伤，"她在族群里过得快乐吗？遭遇獾群袭击后，她带着我们的

孩子回来时,完全被吓坏了。"

黑莓掌点了点头:"她已经在族群中找到了自己的位置。虽然她永远无法成为一名武士,但她绝对是一只雷族猫。"

"她又有两个幼崽啦!"榛尾插嘴道,"是小玫瑰和小蟾蜍。他们非常可爱!"

"我就知道她能够好好地生活下去。"小灰低语道。接着,他抖了抖毛发,像是在摆脱回忆:"这么说,你现在也是一名武士了?"他对女儿说道,"让我瞧瞧你都学到了些什么。"

"好的。"榛尾马上摆出捕猎姿势,开始向前滑动脚步,"现在,我在围捕老鼠。"她解释说,"必须轻轻地将脚掌放下,仿佛一片云,因为老鼠会感觉到地面的震颤。然后,你要做好准备——"她停下来,摆动着尾巴,"往前一跳!"

她立即跃入空中,前掌抓住了桦落的尾巴尖。

桦落一下子跳了起来:"嘿!很痛耶!"

榛尾眯缝着眼睛,说道:"那就快来攻击我吧!"

冬青叶看着桦落扑向了榛尾。娇小的母猫急忙朝旁边躲闪,探出没有伸出爪子的前掌,推了他一把。桦落旋即转身,叫喊着扑到她身上。两只年轻猫在地上扭打了起来。

我们曾经也是这样,无忧无虑地生活在这世上。冬青叶心想。看到小灰眼里写满了骄傲,她感到嫉妒之情袭遍了全身。我的父亲也会以我为荣吗?她不知道。他是否知道我的存在呢?

榛尾和桦落终于分开,坐在那里抖落毛发中的泥土和碎屑。

"这真让我印象深刻啊。"小灰说道,"毫无疑问,雷族教会了

大家怎样照顾自己。"

丝儿走上前，有些害羞，但很友善："你们愿意留在这儿过夜吗？"

"好主意。"小灰后退一步，用尾巴指了指马棚，"这里很暖和，老鼠也很多，你们不必担心挨饿哦。"

"非常感谢，但不必了。"黑莓掌说道，"我们必须继续赶路。"

"我们在追踪一个凶手！"榛尾补充道。

丝儿和小灰警觉地交换了一个眼神，颈毛也随之竖立起来。"什么——谁被杀了？"丝儿紧张地问道。

"说来话长啊。"黑莓掌走上前，镇定地用尾巴尖碰了碰小灰，"你们不必为这件事情担心。我们只是要和一只可能看见事发经过的猫谈谈。"

小灰这才放松了下来，脖子上的毛也开始渐渐平顺。"是只怎样的猫呢？"他好奇地问道。

"一只白色和棕色相间的虎斑公猫。"黑莓掌回答道，"他的毛发很长，眼睛是淡黄色的。"

丝儿屏住了呼吸："我见过一只这样的猫！是在两天前，天色很早时，他朝田野的方向去了。"

"那我们就快追上他了。"黑莓掌嘟哝着，"我们快走吧。"

榛尾走向父亲，碰了碰他的鼻子："再见了。回来的路上，我会再来看你的。"

"随时欢迎。"小灰说道。冬青叶看得出，女儿这么快就要离开，令他很伤心。

"我一定会回来的！"榛尾保证道。

当他们跟随日神的踪迹，朝田野进发时，桦落转过身，凑到冬青叶身旁。"身为一只只有一半族群血统的猫，肯定很怪异。"他的声音很小，生怕被榛尾听到，"想想看，永远都见不到血亲的那种感受。"

冬青叶没有回答。那也比我好，她忧郁地想道，我可能根本就不是一只族群猫！

WARRIORS
猫武士

第 五 章

　　远征队穿过下一片田野时,天空下起了雪。柔软的雪花一落
到地上,便融化了,其中一片恰巧落在狮焰的鼻头上,他忍不住
打了个喷嚏。

　　猫群来到田野的另一头,展现在面前的是一大片发白的石
头,旁边是巨大的红色两脚兽巢穴。此时,雪越下越大。众猫在坚
硬的地面上艰难前进。一阵疾风吹来,雪花四处翻飞。狮焰和冬
青叶并肩前行,他尽量替妹妹挡住寒风。

　　忽然,一声巨大的鼻息从某座巢穴中传来。恐惧顿时袭遍了
狮焰的全身,他拔腿狂奔,穿过那堆石头,雪花从他的肚子上刷
过。冬青叶和榛尾分别跟在他的左右两侧,一起疾驰。

　　声音再度传来,接着便是蕨毛的叫喊声:"没事啦!只是马而
已!"

　　只是马而已!狮焰腾空的脚掌带着他冲向前。在他看来,那
些长着重重蹄子的庞大生物只需一击,便能将猫的脊柱打断。透
过纷飞的雪花,一道两脚兽大门隐约可见。他从门下钻过去,绷
紧肌肉,准备再次跃进。冬青叶和榛尾仍紧跟在他身后。

"不!"黑莓掌尖声高喊道,"快停下来!前面就是雷鬼路了!"

狮焰猛地停下了脚步。就在这时,黄色的光柱划破了纷飞的雪花,一只怪兽瞪着眼睛疾驰而过,肮脏的融雪飞溅到了狮焰身上,浸透了他的脚掌。他和族猫们慌忙后退。他吓得心怦怦直跳,并等着桦落、蕨毛和黑莓掌赶上来。

"你们还好意思称自己为武士?"黑莓掌怒斥道,"简直太莫名其妙了。那些马都在它们的巢穴里。如果你们不冲到雷鬼路上,根本就不会有危险。"

"对不起哦。"狮焰低声说道。他羞愧得面颊发热,犹如燃烧的森林大火。黑莓掌严厉的话语更加让他痛苦,因为他知道,副族长说得没错。这是离开营地以来第一次冒险,他们却表现得像个学徒。

榛尾不好意思地耷拉着脑袋,冬青叶已经走到一边,轮番抬起脚掌,抖掉毛发上的脏水。狮焰深知,恪守武士守则对她来说意味着什么,她一定为自己被吓成这样而恼羞成怒了。而你呢?他扪心自问道。雷族最勇敢的武士,连一匹被拴着的马都能把你吓得屁滚尿流?

黑莓掌长叹一声,终于松了口气:"好了。我们看看怎样通过这里吧。"

副族长小心翼翼地迈向雷鬼路。就在这时,狮焰又听到了另一只怪兽的咆哮声。那个闪亮的家伙转瞬即逝,伴随着低沉而洪亮的吼声。一只体型更大的怪兽从另一个方向疾驰而来,它那黑色的后掌大得像块巨石。

我们怎么可能过得去啊？我们会被压扁的！

狮焰看得出，榛尾和冬青叶依然惊魂未定。她们的毛发还竖立着，眼睛也警觉地瞪得大大的。他知道，自己一定也是这副模样。但他勉强打起精神，好让自己能从雷鬼路坚硬的黑色路面上走过去。

"到我身边来。"黑莓掌镇定地指挥着他们，"我们一次过去一个。蕨毛，你可以第一个走，让他们看看该怎么做。"

蕨毛动了动耳朵，表示明白了副族长的意思。"这还不算什么。"他友善地告诉年轻猫，"旧森林里的雷鬼路比这要宽得多。"

桦落的毛发顿时立了起来："真高兴我们不再住在那里！"

蕨毛走到黑莓掌身边，等待着另一只怪兽呼啸而过，吼声渐渐消失在远方。

"好了，开始穿越雷鬼路。"黑莓掌命令道。

蕨毛跃向前，金棕色的毛发几乎被纷乱的雪花遮住了。等他抵达另一边时，周围依然静悄悄的。

"冬青叶，该你了！"

冬青叶深吸一口气，如离弦之箭一般冲过了雷鬼路。狮焰紧张得将爪子插入地面，努力抑制住颤抖，直到看见她安全到达蕨毛那边。

另一只怪兽的吼叫声透过漫天雪花传了过来。当它映入眼帘时，狮焰不由得连连后退：那是个色彩炫目的庞大家伙。它一闪而过时，狮焰看到，它肚子里有好几只两脚兽，顿时心跳得更加厉害了。

它把两脚兽都吃了吗？它会不会也吃掉我们啊？

"狮焰，该你了。"

狮焰鼓起所有的勇气，走到黑莓掌身旁，然后一个箭步冲向前方。在那一刻，空气里充满了刚刚过去的那只怪兽留下的臭味，几乎令他窒息。在奔跑的过程中，黑色地面不断刮擦着他的脚掌。一会儿后，他已经来到了雷鬼路树篱间的狭长草地上，冬青叶紧紧地靠在了他身边。

"我们做到了。"她喃喃地说道。

"知道吗？桦落说得对。"狮焰低声回答道，心跳渐渐平缓了下来，"如果老营地的雷鬼路比这个更糟糕的话，我也不愿意住在它附近！"

过了一会儿，榛尾也过来了，然后是桦落。但紧接着，一连串怪兽接踵而至，将黑莓掌独自隔在了对面。终于，最后一只怪兽消失了，可狮焰依然听得到它们的吼声在空中回荡着。

黑莓掌跃上雷鬼路，向这边冲来。远处，又一只怪兽出现了。桦落尖叫了起来："小心啊！"副族长并没有减慢速度。怪兽还离得很远时，他便已经安全地来到了族猫中间。

"看到了吧？没什么大不了的。"他满不在乎地抖了抖耳朵，"现在，我们继续前进吧。"

狮焰压低身子，匍匐而行，准备进入下一片田野。树篱下湿漉漉的叶子和碎屑黏在了他的肚毛上。当他到了另一侧，挣扎着站起来时，一股强烈的气味扑面而来。他觉得应该能想起这种味

哧

它把两脚兽都吃了吗？
它会不会吃掉我们啊？

如果老雷鬼路比这个更糟糕的话，
我也不会愿意住在它附近！

道,可记忆却像一只难以捉摸的猎物,从他身边溜走了。

"那些是什么啊?"榛尾的耳朵指向田野中间,紧张地问道。

狮焰透过雪花凝视着前方,那里一小群一小群地聚集着一些巨大的动物,它们身上有着黑白色的斑纹。就在他观察它们时,其中一只动物抬起头,发出了一声低沉而悲凉的声音。

"奶牛!"冬青叶靠过来,站在哥哥旁边兴奋地喊道,"狮焰,你还记得吧?我们去山地时见过它们。"

"当然了,是奶牛嘛。"狮焰的记忆闪回到了他们遇到那只老独行猫波弟的时候。经过牧场时,老猫向他们介绍了奶牛。他的母亲——不,松鼠飞——告诉过他们,那种巨型生物构不成威胁,只要不被它们踩到。

"奶牛没什么可怕的。"黑莓掌从树篱下钻出来,安抚着榛尾,"它们不会攻击我们。"

榛尾怀疑地看了看副族长,看着蕨毛带头朝田野走去,狮焰倒是和她一样担心。

奶牛在猫群周围聚集起来,低着头用亮晶晶的大眼珠盯着他们。狮焰与它们的距离远比他自己希望的近。奶牛垂下脑袋,鼻子里喷出又热又湿的气息,使劲儿地嗅闻着他们。他害怕它那石头般的蹄子,也不喜欢那刺出头顶的大弯爪子。对付这种体型的动物,格斗动作是没什么用的。狮焰觉得,自己快要被它们身上强烈的臭味给熏倒,并被它们低沉的悲吟给震聋了。

蕨毛镇定地带领族猫在长腿形成的林子里穿行。一头奶牛的长尾巴嗖的一声猛抽到冬青叶的脸上。她疼得向后一跳,径直

撞上了狮焰。

"狐狸屎！"她骂道。

狮焰撑住她，直到她找回平衡。

"我开始怀疑，这是否是一次伟大的冒险。"她瞟了榛尾一眼。榛尾赶紧赞同地点了点头："即便是去山地的征程中遇到了谷仓里的狗，也比这次要容易得多。"

而且，那次征程有它的意义，狮焰无声地补充道，那时我们并不是去找一只我明知不是凶手的猫。

离开牛群后，众猫继续在雪地里跋涉，朝田野的另一边进发。狮焰探测着日神的气味，但一点儿踪迹都没有发现。

此刻，除了奶牛的味道，我什么都闻不到，他小声嘟囔着，甚至闻不出族猫的气味了！

但很快他就发现，在飘舞的雪花的掩映下，又一道树篱隐约出现在了前方。狮焰顿时松了口气。远征队迈着沉重的步子逐渐靠近树篱，在浓密的荆棘屏障前停了下来。

"我们不可能钻过去的！"桦落沮丧地睁大了眼睛，"我们会被撕成碎片的。"

"不，不会的。"黑莓掌说道，"我们只需找到一处树枝稀疏些的地方就可以了。"他带领猫群沿着树篱下端走。

希望不需要走回头路，狮焰奋力抖落身上的雪花，苦恼地想道。

当他听到树篱另一侧再次传来雷鬼路上怪兽的轰鸣声时，心情变得更加沮丧了。"不会再来一次吧？"他低声说道。

　　黑莓掌终于停下了脚步。"或许这里可以。"他用口鼻指了指树篱。两根弯曲的枝条间，有一道很小的口子。"狮焰，你愿意试试吗？"

　　狮焰点了点头，迈步向前，用胡须测试着缺口的宽度。接着，他压低身子，贴近地面，缓缓地朝前爬。当他努力钻到另一边、并挣扎起身时，感觉到荆棘从他后背划过，扯下了不少毛。

　　"我成功啦。"他大声说道。

　　冬青叶和桦落穿越树篱时，狮焰望向前方。面前是一大片白茫茫的土地。地势缓缓向下，延伸到他刚才听到声响的那条雷鬼路上：它比第一条宽多了，两个方向都有怪兽咆哮而过，路两边都有灯光在闪耀。

　　我们永远无法通过那条路！他绝望地想道。

　　突然，一声惊叫分散了他的注意力。狮焰迅速转过身，看见榛尾从树篱下钻了过来，正疯狂地用脚掌拨弄自己的口鼻。

　　"我的鼻子里扎了根刺！"她哀号着。

　　"快让我看看。"冬青叶靠近她，"千万别乱动，别用爪子挠了。"

　　榛尾立即坐下来，眼里写满了痛苦。是一根长长的刺，深深地插进了她的鼻子，鲜血从刺的周围冒了出来。

　　狮焰看着妹妹用很久以前从叶池那儿学来的巫医技巧，为榛尾处理伤口。冬青叶舔着刺周围的区域，然后用牙齿咬紧它，用力一拔，将刺扯了出来，吐在地上。更多的血从榛尾的鼻子上涌出来，落在了雪地上。

"哎哟！"榛尾疼得直叫唤。

"我们需要一些清水把血冲洗干净，并闭合伤口。"冬青叶说道。

狮焰环顾四周，想弄些水给她，但目光所及之处，没有任何溪流，只有很多冰冷的雪……

"快把你的口鼻埋进雪地里。"冬青叶告诉榛尾，"这样能止血。"

榛尾怀疑地眨眨眼，低下头，把鼻子埋在一片干净的白雪中。"好冷啊！"她含糊地说道。

"再坚持一会儿。"冬青叶赶忙敦促她，"我保证这样做有好处。"

希望如此，狮焰心想，不然的话，冬青叶会让榛尾把鼻子冻坏的。他看得出，妹妹盯着族猫查看时，神情非常担忧。

榛尾把鼻子在雪地里多埋了一阵，然后抬起头来。一撮白雪粘在了她的脸上，让她看上去像是长着雪白长毛的云尾。"已——已经不是那——那么痛了。"她牙齿打着颤汇报道。

冬青叶探身向前，小心翼翼地用脚掌替榛尾擦去碎雪，检查那根刺留下的伤口。伤口看起来像是一个整齐干净的小洞，差不多已经闭合了。"我想，这个办法起作用了。"她说道。

"干得好。"黑莓掌低沉的喉音从冬青叶身后传来。狮焰看到，他对妹妹温柔地眨了眨眼，目光里同样充满了小灰看到榛尾时，流露出来的那种自豪感。

冬青叶立即转过身。狮焰非常明白，她很想有所回应，但却

做不到。对他们几个来说,黑莓掌的肯定曾经是那么的重要。但现在不同了,无论我们掌握了怎样的技能,都不是从你那儿继承的。

雪渐渐小了,但空中的积云把太阳遮得严严实实,无法分辨时辰。也许快要日落了吧?狮焰打了个寒战。正前方是一条巨大的雷鬼路,路后方的地面平坦地延伸开去,只有空地中央有一小片树丛。狮焰看到,树丛后边的一侧,有很多闪烁的光点。

"那是什么呀?"他用尾巴指着光点问道,"看上去像是很多星星落到了地上。"

"不,那是一片两脚兽巢穴,全都是。"蕨毛向他解释道。

榛尾喘息道:"我还以为,全世界也没这么多两脚兽呢!"

"希望我们不需要靠近它们。"桦落补充道。

榛尾点了点头。狮焰低声说道:"我们可不是宠物猫。"他突然觉得这好像是在说服他自己。

黑莓掌和蕨毛带头朝雷鬼路走去。大家在路边蜷伏下来,一个挨一个,排成一排。怪兽们呼啸而过,它们强烈的光芒照亮了湿乎乎的黑色地面。

"这次,我们要等到出现一次足够长的间隙,然后大家一起通过。"黑莓掌作出决定,"等我一开始跑,你们就要像整个獴群从身后追来了一样,跟着我跑过去。"

狮焰拼命将自己的恐惧隐藏起来,等待副族长发出信号。这里的情况比早先经过的那条雷鬼路糟糕得多。怪兽的洪流似乎永远不会终止!

　　他身旁,榛尾也在发抖。榛尾的另一侧,桦落如临大敌似的竖起了毛发。狮焰的身旁,冬青叶不停地抓挠着地面,眼睛紧盯着黑莓掌,等待他发出通过的命令。

　　我为什么总是要强装勇敢呢? 狮焰痛苦地问自己。现在,我们都已经知道,预言里说的三只猫并不是我们,我就没必要这样了。据我所知,我们可能都是宠物猫!

　　恐惧与羞耻感贯彻全身。他沉浸在沮丧的情绪中,差点儿没听到黑莓掌发出的信号:"马上行动!"

第 六 章

冬青叶和族猫们一起向前飞奔。来到雷鬼路中间时，她听到远处传来了另一头怪兽的号叫声，而且声音越来越大。炫目的光线射向她，那个巨大的家伙仿佛一下子凭空冒了出来。冬青叶更加拼命地向前跑，脚掌不停地蹬向坚硬的路面，好让自己更快地接近对面。

一声恐怖的尖叫划破天际。此刻，冬青叶已经安全踏上了对面的草地。她转过头，看到榛尾已经吓呆了，正僵硬地蜷伏在那头怪兽即将经过的雷鬼路中央。

"不！"冬青叶大喊道，"榛尾，快跑呀！"

榛尾顿时惊慌失措，根本无法动弹。伴随着一声疯狂的咆哮，黑莓掌冲回到雷鬼路上，一口咬住榛尾的后颈，几乎就要落入正在逼近的怪兽的掌下。

"他们俩都会被怪兽杀死的！"桦落哀号起来。

黑莓掌拖着族猫穿行在黑色的路面上，怪兽炽热的目光直射到两名武士身上。榛尾就像一只死去的猫一样，四肢晃来晃去的。但很快，她便挣扎着站了起来，拔腿狂奔。黑莓掌跟在她身后

猛冲过去,差点儿被怪兽拦腰碾过。甚至有那么一会儿,冬青叶确信,他将被怪兽旋转的爪子撕碎。但紧接着,怪兽呼啸而过,黑莓掌依然在奔跑。榛尾扑倒在草地上,黑莓掌则一个急刹,停在了她的身旁。

副族长不满地哼了一声:"这可真是个示范无法通过雷鬼路的好例子。"

"对不起哦。"榛尾像只吓坏了的幼崽,喘息道,"实在是对不起!"

其余的猫都气喘吁吁地坐下来。连狮焰也显得有些紧张。日神一定比我们想象的更勇敢,冬青叶一边尽量平复呼吸,一边想到,他是独自走完这段旅程的。

蕨毛走到榛尾身边,安抚地舔了舔她。"没事了。"他低声说道,"我们都免不了犯错的。"

"可我差点儿害死黑莓掌!"榛尾惊魂未定,双眼睁得大大的,"谢谢你,黑莓掌。是你救了我的命!"

副族长眼中的怒气已经消失了。他眨了眨眼,说道:"你最好保证,不要让我再救你第二次。"

"我保证不会的。"

黑莓掌让族猫休息了一会儿,然后催促远征队再度动身。"我们不能留在这儿。"他说道,"大家赶快朝树林进发,那里或许会有猎物。"

猫群跟着他在多刺的草地中前行。雪已经停了,但地上的积雪依然很厚。冬青叶跟在副族长后边,东倒西歪地走着,每一步

都要克服积雪的阻碍。皮毛被冻得这么冷，我想我都快变成一只冰猫了。想到这儿，她用力抖动着身体，甩掉附在身上的白雪。一阵冷风从他们前方吹来，卷起松散的雪花，吹进他们眼里。"讨厌，真刺眼！"她低语道。

众猫渐渐靠近树林时，冬青叶看到，这片林子比雷族边界上的要矮些，并且树木歪扭得奇形怪状，彼此缠结到一起，犹如蹲着的两脚兽，很像风族高沼地上的灌木。但当她探测空气中的气息时，便意识到，与她离开森林后嗅到过的任何气味相比，这种气味都更加熟悉。在这里，雷鬼路的怪味已经消退了，她能辨别出树叶和树皮的味道。当她闻出老鼠、兔子和松鼠的气味时，口水忍不住流了下来。

猫群抵达树林边缘时，黑莓掌宣布道："我们就在这里进食和休息吧。没有比这儿更好的地方了。"

桦落顿时来了精神。一想到不必在风雪中继续跋涉，冬青叶和狮焰也会心地对视了一眼。

"现在肯定还不到黄昏。"蕨毛凝视着依然盘踞在天边的积云说道。

"虽然不是黄昏，但我们已经又冷又累了。"黑莓掌回答道，"而且，我们还没有发现日神的踪迹，无法确认所走的方向是否正确。"

蕨毛耸了耸肩，表示赞同。于是，六只猫朝树林深处走去。在树木的遮掩下，这里的积雪并不多，冬青叶感觉自己的脚掌渐渐暖和了起来。但这儿的地势却并不平坦，而是缓缓向下倾斜，通

向一条在树根间流淌的小溪。

"大家先去捕猎吧,然后休息。"黑莓掌下达了命令。冬青叶觉得,副族长对于旅程接下来会怎样,显得有些紧张和不悦。他是否知道前方将会面临什么危险呢?

过了一会儿,蕨毛便消失在灌木丛中。狮焰和桦落也一起走开了。

"你愿意和我一起捕猎吗?"冬青叶问榛尾。雷鬼路的遭遇似乎仍让她心有余悸。

"那太好啦!"榛尾抖了抖耳朵,"我们从哪儿开始呢?"

"哪儿都一样,就这里吧。"

两只母猫同时探测着空气里的气息。冬青叶闻到了浓烈的松鼠味,过了一会儿,她发现一棵扭曲的荆棘树下的枝丫中有一阵骚动。冬青叶动了动耳朵,指给榛尾看。榛尾点了点头,眼睛里闪现出一丝光芒。

冬青叶示意榛尾留在原地,然后,她摆出捕猎的匍匐姿态,绕了一个大圈,来到那棵树的另一边。在雷族领地时,她经常使用这种捕猎手段,因此此刻又找到了家的感觉。她从另一侧接近松鼠,越爬越近,脚掌在草叶间滑过。当冬青叶认为距离已经足够近时,她发出了一声可怕的尖叫,猛地跃了出去。惊恐的松鼠慌忙奔逃,却直接把自己送到了榛尾的爪子下。榛尾及时地一口咬住了它的脖子。

"干得漂亮!"冬青叶欢呼道。

"都是你的主意好。"榛尾说道。此时,她看上去开心多了。

就在冬青叶朝同伴走去时，狮焰从身后的黑莓丛中跳了出来："我和桦落抓到了一只很肥的兔子哦。"

说话间，桦落已经用两只前掌拖着兔子，步履蹒跚地出现在他们的视线中。他喘了口粗气，扔下兔子，倒在低矮的栗树丛中。一大块雪滑落下来，盖在了他的身上。他恼火地嘶鸣一声，抖落黏在皮毛上的雪。

冬青叶忍不住喵的笑了一声。"小心点哦，不然的话，我们都得叫你雪落了。"她咕哝道。

四只年轻的猫拖着捕获的猎物，来到小溪旁一片灌木掩映的谷地上。地面被堆积的枯叶覆盖着。很快，蕨毛也叼着一只松鼠出现了，黑莓掌则抓到了两只老鼠。在进食过程中，他们身体的温度弥散在整个谷地之中。在头顶错落枝条的遮蔽下，冬青叶觉得，这里几乎就像一个巢穴。

吃饱后，她心满意足地伸出舌头舔了舔下巴。"终于能美美地睡上一大觉啦。"她懒洋洋地宣告道。

"很好。"黑莓掌说道，"不过，我们最好设一个岗哨。"

"我先来。"狮焰主动请缨。

"好吧。"黑莓掌拉长下巴，打了个大大的哈欠，"等你准备睡觉时，就叫醒我，我来接你的班。"

冬青叶安顿了下来，准备睡觉。她最后一眼看到的是哥哥金色虎斑身体的轮廓。狮焰环视着树林，耳朵机警地竖立着。

一只脚掌捅了捅冬青叶的腹部。她迷迷糊糊地眨巴着眼睛，

差点儿还以为自己正睡在武士巢穴里呢，可苔藓和凤尾蕨在哪儿？我为什么能听见流水声？

很快，她就记起来，自己正在前往太阳沉没之地的旅途中，同行的还有黑莓掌和其他猫。他们离开雷族营地已经有一天了，这里的一切既新鲜又陌生。

榛尾低头看着她，说道："该你站岗了。你是最后一班岗。"

冬青叶摇摇晃晃地爬起来，弓背伸了个懒腰。狮焰、桦落和蕨毛都蜷伏在她旁边。"黑莓掌呢？"她打着呵欠问道。

"我站岗的时候，他就醒了。"榛尾回答道，"他说去前方探探路。"她在落叶上舒服地伏下身子，用尾巴裹住了鼻子。"我得抓紧时间再补补觉。"她嘟囔着说道。

冬青叶清理掉身上黏着的落叶残片，朝小溪边走了几步。低头喝水前，她的目光扫过周围树林的上方，但看到的只有即将由黑变灰的天空，以及天空映衬下的树木枝条。

万籁俱寂。

她大口大口地喝着冰冷的溪水。就在她抖落胡须上黏着的水珠时，突然听到了一声刺耳的惊叫，随即便瞥见一只黑鸟向上扑腾而去。过了一会儿，黑莓掌穿过树林走了过来，嘴里叼着一只兔子。

"这真是个捕猎的好地方。"他一边说，一边将猎物放在冬青叶的脚边。

新鲜猎物诱人的气味让冬青叶垂涎欲滴。"我再去抓一些吧？"她提议道，"六只猫分一只兔子恐怕不够耶。"

　　"好吧。"黑莓掌回答道，"但不要走出树林。一会儿我来叫醒他们。下次你来站第一班岗。"他补充道，"不过现在，我们得继续前进了。"

　　冬青叶沿着小溪搜索，跃到一道小瀑布边上，熟练地抢在一只田鼠溜回岸边的洞穴前，抓住了它。她叼着田鼠，爬上岸站定，任由田鼠瘫软的尸体拖到地面上。然后，她开始嗅闻空气里的气息，耳朵也警觉地搜索着猎物发出的微弱声音。很快，她便发现一只在灌木丛下啃食种子的老鼠。冬青叶悄无声息地靠近，在地面潜行，闪电般地伸出爪子一击，折断了老鼠的脖子。接着，她便返回，带上那只田鼠，叼着两只新鲜猎物回到了空地。

　　如果是在过去，她一定会为自己的捕猎技巧感到自豪，尤其是因为，她还可以向黑莓掌展示带回猎物的速度有多快。可现在，她甚至无法面对副族长祝贺的目光。如果她不是一只真正的族群猫，那么，她接受的所有训练，以及她自认为了解的一切，都会化作烟尘。

　　六只猫迅速进食完毕，然后在黑莓掌的带领下朝树林边缘走去。"我们现在离午夜的家不远了。"他说道，"大家都要小心，跟紧我。"

　　前方的路平坦而空旷，目光所及之处，除了两脚兽的巢穴，没有别的遮掩物。天空十分晴朗，偶尔有些流云飘过。远征队后方的天空已现出破晓时分的乳白色。刚一离开树林的庇护，冬青叶就感到迎面吹来了凛冽的寒风。风里夹杂着陌生的气味，就像

是冰冻的血液。

"我的毛都快被吹掉啦！"她听到桦落正在抱怨。

冬青叶感到眼睛和嘴巴都在刺痛，皮毛也黏糊糊的。她打起精神，压低脑袋，紧跟着狮焰，与大家一起在冰冷的草地上艰难前行。风声之下，她还能听见一种低沉的咆哮声，这是她以前从未听到过的。

忽然，狮焰停了下来。冬青叶来不及停步，一个趔趄撞到了他身上。她生气地喵呜一声，还没站稳，又被身后的榛尾撞了一下。冬青叶抬起头，看到黑莓掌和蕨毛正并肩站在队伍的最前头，定定地盯着什么。她走到他们身边，其他猫也跟着一字排开。

伟大的星族啊！猫群已经来到了大地的边缘！在他们跟前，地面被一片凶险的岩石所代替。冬青叶看到，无边无际的辽阔水域在面前延伸开去，波涛汹涌，轰鸣阵阵。

"欢迎来到太阳沉没之地。"黑莓掌平静地说道。

第 七 章

寻找日神的远征队离开后,松鸦羽站在空地上,嗅闻着拂晓的风中裹挟着的雪的气息。他听到几只猫从武士巢穴入口处的枝条间钻了出来,发出了沙沙的响声。族猫之间,弥漫着一种莫名的紧张情绪。

"沙风,你来负责黎明巡逻。"灰条的声音从松鸦羽身旁传来,"带上狐爪和松鼠飞。靠近风族边界时,一定要多加小心。"

"我非得和他们一起去吗?"松鸦羽听到了狐爪沮丧的声音,"我一点儿都不喜欢风族。"

"嘘。"香薇云的语气有些惊讶,"你知道,没什么好怕的。"

松鸦羽顿时心生不安。听上去,大多数族猫都相信日神是凶手,没什么可担心的了。可他们都错了!完全错了!

"狐爪,你是我的学徒。"松鼠飞的语气中流露出些许怒意,"你当然得和我在一起。否则,如果你愿意,也可以去为长老抓虱子。"

"噢……不,我想我还是去巡逻吧。"

"不会有事的。"火星宽慰学徒。松鸦羽并没有听到他从高岩

上走下来的脚步声。"谁负责捕猎巡逻啊,灰条?"

"我想,就由我来带队吧。"灰毛武士说道,"我会带上栗尾和鼠须。"他又压低声音对火星补充道,"如果你或者我去参加边界巡逻,那么,每只猫都会认为,边界上有什么可怕的东西。"

"你考虑得很周到。"火星对此表示赞同。

"尘毛,你带领另一支捕猎巡逻队。"灰条大声说道,"云尾和亮心可以跟你一起去。去影族边界看看,但要记住,黑莓掌说过,千万要小心,不要越过边界线。"

"我又不是昨天才出生的,谢谢啦。"尘毛不悦地回答道,浑身散发着怒气。

"我们要带上冰爪吗?"亮心问道,"白翅一直在育婴室里,她出去得不多。"

"当然。"灰条说道,"冰爪!别再到处抓树皮了,快到这儿来。"

学徒蹦蹦跳跳地冲了过来。松鸦羽听到了她奔跑的脚步声和兴奋的喵呜声。"你要和尘毛、亮心一起去捕猎哦。"灰条告诉她,"我们还指望你多带些新鲜猎物回来呢。"

"相信你一定能办到。"火星也鼓励她,"你一直都做得很不错。"

松鸦羽能体会到,学徒加入资深武士行列时的那种高兴与自豪。

"用不了多久,我们又将要举行一场武士命名仪式了。"火星对灰条说道。

　　尽管他的话语听上去充满喜悦，但松鸦羽却能从中捕捉到些许不安。他很清楚，族长一直在担心那支寻找日神的远征队。

　　日神真的是杀害蜡毛的凶手吗？派出那么多武士去找他，我的决定正确吗？没有他们，我的族群会变得脆弱吗？松鸦羽能清清楚楚地听到族长的心声，好像火星大声把它们说出来了似的。他惊讶地感觉到，被绿咳症夺去一条性命后，火星依然有些虚弱，意识里潜伏着对疾病重袭的恐惧。

　　也许他的忧虑是对的，松鸦羽心想。他听到育婴室旁的蛛足，正在孩子们的打闹声中喘息着。

　　"没错。"他们的母亲黛西说道，"你们可以和父亲一起练习格斗动作。蛛足，你就不能装成一只更恐怖一点儿的獾吗？"

　　"獾……不会……"蛛足发觉自己的呼吸顿时变得急促起来，"不会得……绿咳症。"他痛苦地说完这句话。

　　不远处，米莉正在为她的三个幼崽梳理皮毛，但她的动作不时被咳嗽打断。"如果太冷了，就别待在外边。"灰条来到她身旁告诫道，"孩子们，别和母亲玩得太疯了。"

　　松鸦羽听见了小梅花的高音："我们不会啦。"

　　"那好，现在，巡逻队可以出发了。"灰条走回来宣布道，"保持警惕，如果发现异常情况，一定要汇报。"

　　几支巡逻队离去了，石头山谷陷入一片寂静之中。留下的武士们纷纷回到各自的巢穴避寒。黛西和米莉围在幼崽们身旁。

　　"孩子们，该做些训练了。"黛西说道，"跑圈会使你们保持温暖哦。让我们看看，谁能从荆棘屏障上给我折一根树枝，并且第一个跑回来？"

"我能！"所有孩子一起叫喊着冲向空地的另一端。松鸦羽跳到一旁躲开，以免被他们撞翻。然后，他回到了自己的巢穴。

他刚在黑莓帘后坐定，从苔藓和凤尾蕨上腾起的灰尘便扑鼻而来。"这是怎么回事？"他打了个喷嚏问道。

"我在更换垫褥。"叶池告诉他，"你能到这儿来，帮忙把这块苔藓卷起来吗？"

松鸦羽走了过去，爪子陷在叶池已经堆积在一起的厚厚的苔藓和蕨叶中。"我想很快就要下雪了。"他说道，"所有的新鲜苔藓和凤尾蕨都会被浸透的。"

"我们可以把水挤出去。"叶池回答说，"这块旧垫褥太脏了，怎么能让生病的猫睡在上面呢？"

我就喜欢睡在上边，松鸦羽心想，总比出去挨淋受冻好得多。

他开始把那些东西推到一起。干燥的蕨叶和苔藓块几乎埋住了他的半个身子。这时，他听到一只猫冲过了黑莓帘。透过灰尘的味道，他辨认出进来的是火星。

"你还好吗，叶池？"火星关切地询问着。

"我很好，谢谢。"叶池语气轻松，并没有停止整理工作。

"有些事我想问问你……"火星压低声音喵道，松鸦羽从中听出了一股强烈的焦虑感。他蜷伏在凤尾蕨后，尽可能不打喷嚏。他希望族长说些什么，但不要是悄悄话。

"什么事啊？"叶池问道。

孩子们，该做些训练了。跑圈会使你们保持温暖哦。

让我们看看，谁能从荆棘屏障上给我折一根树枝，并且第一个跑回来？

我能!

喵!!!

这是怎么了啊?

我在更换垫褥。你能到这儿来，帮忙把这块苔藓卷起来吗?

我想很快就要下雪了。所有的新鲜苔藓和凤尾蕨都会被浸透的。

我们可以把水挤出去。

这块旧垫褥太恶心了。我们怎么能让生病的猫睡在上面呢?

我就喜欢睡在上边，总比出去淋湿受冻好得多。

火星!

你还好吗，叶池?

我很好，谢谢。

"只不过是——"火星再次停顿下来。

大声说吧！松鸦羽迫使自己保持安静。

"我知道,我无权告诉巫医该如何与星族对话。"火星似乎每说一个字都变得更加尴尬,"但我很想知道……你是否考虑过在星族那里找到蜡毛,然后问问他,是谁杀了他？"

什么？松鸦羽差点儿被一片苔藓噎住。

叶池长时间地沉默着,当她终于开口时,语气却冷若冰霜:"在星族那儿见到谁,不是我能选择的。只能是我们的祖灵来找我,但我无法寻找他们。如果蜡毛找到我,并且愿意跟我说,那我才能听到。"

松鸦羽意识到,叶池回答火星的问题时,情绪中不仅仅包含着惊诧和愤怒,还隐藏着别的什么。会不会是……恐惧？

"对不起。"火星对此表示歉意,"我还以为……"

"我保证,我会竭尽所能的。"叶池的语气缓和了一些,"我和你一样,也很想知道谁是凶手。"

那为什么我觉得很难相信她呢？松鸦羽轻声问自己。

当天晚些时候,松鸦羽已经清理好所有的旧垫褥,并给依然饱受绿咳症后遗症之苦的猫送去了艾菊,然后才走向猎物堆,挑选了一只田鼠。早前,空地上下了一小阵暴雪,但现在,微弱的阳光温暖着他的身子。

进食时,他闻到了叶池的气味。她从长老巢穴里走了出来,身后跟着鼠毛和长尾。

"松鸦羽?"叶池喊道,"吃完东西后,我希望你能陪鼠毛和长尾出去走走。爆发绿咳症之后,他们还是第一次走出营地。"

松鸦羽吞下一大口田鼠,说道:"没问题。"

"你知道的,我们又不是孩子。"鼠毛嘟囔着,"没有其他猫带路,我们也能走到湖边,然后再回来。"

"我知道。"叶池耐心地回答说,"但我希望松鸦羽能够去找些药草。我们的艾菊已经很少了。山萝卜和蓍草可能也不够用了。湖边的树木下也许还生长着这些东西。"

鼠毛夸张地叹了口气。松鸦羽想象着,这只骨瘦如柴的深棕色老猫正滴溜溜地转动着眼珠。

叶池走向松鸦羽,一直来到他跟前。"我希望你能格外注意鼠毛。"她低语道,"确保她不要走得太远,并注意观察她的呼吸。"接着,她又大声补充道,"鼠毛,也许你和长尾能帮松鸦羽带些他找到的药草回来。"

"我想,我们也只能做点儿这样的事了。"鼠毛发起牢骚来。

松鸦羽吃完最后一口田鼠,带着他们走过空地,钻过了荆棘通道。鼠毛跟在他身后,指引着长尾。此刻,森林里大多数树木上的叶子已经掉光了,显得非常静谧。松鸦羽不得不在枯叶堆中踩出一条路,并小心地避开依然残留在树下的雪块。空气中夹杂着寒霜的气息,显得格外清冷。

水流的气息引导着他们朝湖边走去。他一边注意走在身旁的鼠毛和长尾,一边抢在鼠毛之前,嗅出横在前进路上的树枝。

"走这边。"他将尾巴搭在瞎眼虎斑猫的肩头为他导向,指引

他绕过障碍,"放心吧,不会弄湿爪子的。"

"我想,你比我们看得都要清楚。"鼠毛的语气似乎不像平时那么不悦,甚至有些感动。

希望如此,松鸦羽心想,眼下,我看得还不够远。他希望知道预言是否已经改变,想知道岩石是否了解松鼠飞揭开的那个秘密。最重要的是,他想知道自己真正的父母是谁。

三只猫逐渐接近湖区。这里树木稀少,寒风从松鸦羽的脸上吹过。

"去忙你的事吧。"鼠毛说道,"我和长尾会找个能晒太阳的地方打个盹。"

"好的,这里的药草应该很多——"

"听着,"瘦弱的棕色老猫打断了他的话,"我知道,叶池让你和我们一起出来,只是要确保我们不至于晕倒,能够安全到达湖边。在这样寒冷的季节走这么远,能找到一嘴巴药草,就算你走运了。"

"不是那样的。"松鸦羽反驳道。

"去吧,我们会好好的。"长尾坚持说道。

"如果需要我们的帮助,只管招呼。"鼠毛补充道,"或许现在,我的脚步是不够稳当,但我的耳朵可没问题。"

"好的。"松鸦羽对此求之不得,他快速沿着湖岸前行,一直走到藏树枝的扭曲树根旁。湖面刮来的寒风将他的毛发吹得直立起来。他吃力地拉出树枝,将它拖到一片老灌木下。接着,他伏下身子,将脚掌放在那些抓痕上。

来吧,岩石。我必须和你谈谈。

松鸦羽意识到,岩石可能已经发现他回到了远古族群,不由得警觉起来。体内的什么东西正将他往回拖拽——是想见到他在那里交的朋友的渴望,是对他们前往山地征程的好奇——但他必须与之作斗争。他很清楚,远古猫的利爪现在帮不了他。

松鸦羽尽可能集中精神,努力想象岩石等待他的那个地洞,可他只能感觉到肚子下的草,以及有根小树枝在挠他的耳朵。

"没必要那样。"一个低沉的声音从身后传来,"那根树枝并不能给出答案。"

松鸦羽猛地睁开眼睛,意识到自己看得见了。他还在那丛老灌木下。他扭过头,看到岩石站在身后的草叶和树木之间,几乎是透明的。当他从灌木下钻过来,走向松鸦羽时,他那无毛的身体散发出了地洞中强烈的石头气味,以及无尽的黑暗气息。

松鸦羽不禁一颤:"你是否一开始就知道,松鼠飞在对我们撒谎?"

岩石探出身子,无神的眼睛转向他。"答案在你自己的族群里。"他回答道,"就看你能否找到它们。"

"这不是我要的答案。"松鸦羽暴躁地说,"我需要你的帮助!"

"你想要的那种帮助我不能给你。"岩石警告他。

"那么,那个预言是怎么回事呢?如果我们不是火星的血亲——"

"创造你自己的未来吧,松鸦羽。"这只幽魂猫打断了他,"别

希望它会像新鲜猎物一样摆在你的面前。"

松鸦羽气得浑身的毛都竖了起来。要是所有猫都不告诉他真相,他又怎能去创造自己的未来呢?他将爪子深深地插入了地面。

"松鸦羽!"湖边传来了鼠毛的呼喊声,"松鸦羽!"

黑暗重新蒙住了松鸦羽的眼睛。岩石的味道消失了。

"松鸦羽,你在哪儿呀?"

他急忙从老灌木下爬出来,踢了些枯叶和碎片盖住树枝。他只能稍后再回来将它藏好了。

"你在那儿做什么呢?"鼠毛走过来问道,"我们准备回去了。但我们想知道,你是否有什么药草需要我们帮忙拿?"

"呃……没有,我什么都没找到。"松鸦羽结结巴巴地说。

鼠毛叹了口气:"也许你找的地方不对。我从没听说过,药草会在老灌木下生长得很好。你身后倒是有一大丛艾菊呢。"

松鸦羽尴尬得浑身发烫。他应该先去采一些药草,然后再去试着和岩石对话的。他太想找到那只远古猫了,以至于连艾菊强烈的气味都没有闻到。

"谢谢啦。"他低声说道。

松鸦羽和这只瘦弱的老猫一起采集药草,并察觉到了老猫的怒气。要带回去的艾菊并不多,松鸦羽不需要其他的猫帮忙。返回营地的路上,松鸦羽也没有嗅到其他药草的味道。

他带着艾菊回来时,叶池正在巢穴外等候着。"就这些吗?"她问道,"我说的山萝卜和蓍草呢?"

"找不到它们。"松鸦羽叼着那束艾菊茎秆,低声回答道。

叶池哼了一声。"看上去更像是根本就没有找。松鸦羽,我不是派你出去浪费时间的。你必须按照我的指示去做!"她呵斥道,"如果每只猫都能听命行事,那就什么问题都没有了。"

是谁招惹她了?松鸦羽很是不解。叶池不是这么容易发脾气的啊。这一回,他不想和她争辩,而是朝洞穴走去,准备把艾菊收起来。

叶池掠过他。"就放在这儿,我会收好的!"她几乎是从他嘴里抢过药草。当她将艾菊运进洞穴时,身上散发出狂怒的气息。

松鸦羽退出洞穴,朝新鲜猎物堆走去。不过,他先前已经吃过东西,就算是刚刚捕获的老鼠,也吸引不了他。此刻,他心里的苦楚要比饥饿强烈得多。他没想到,自己是如此思念狮焰和冬青叶。他们过去从不曾分开过这么长时间。

午夜在梦中说过,远征队是在白费力气。而现在岩石又告诉他,答案就在族群之中。可松鸦羽不知道该如何靠自己去发掘它们。如果他醒来时仍然是个瞎子,能进入其他猫的梦境又能怎样呢?如果每一步都走在黑暗之中,他是不可能发现任何真相的。

第 八 章

  狮焰凝视着宽阔的灰白色水域，甚至忘记了呼吸。凛冽的狂风抽打着皮毛，他感觉随时都可能被吹得四脚离地，滚到悬崖下的岩石堆中去。

  "走这边。"黑莓掌命令道。然后，他率先顺着悬崖边缘向前走去，来到了一个杂草丛生的狭窄溪谷。狮焰欣慰地舒了一大口气，这里终于没有风了。

  "午夜就住在附近。"黑莓掌说道。远征队队员们纷纷走过来围在他身边。此刻，猫群的位置在溪谷底部。

  "你们当时是怎么知道去哪儿找她的？"冬青叶好奇地问道。

  "我们并不知道。"副族长坦白地说，"我们甚至不知道要找的是一只獾。"他抽了抽尾巴尖，"我是意外掉进了午夜的洞穴中，才找到她的。"

  榛尾立即睁大了眼睛："那你受伤了吗？"

  "你不怕午夜吗？"桦落也接着问道。

  黑莓掌轻轻地动了动一只耳朵，仿佛是想驱赶一只苍蝇："现在不是讲故事的时候。我们必须继续赶路。"

　　他率领远征队顺着溪谷继续往前走,并不时爬上斜坡探出头,看看族猫走到悬崖的什么位置上了。每到这时,狮焰和其他猫就会蜷伏在沟里,倾听狂风从头顶呼呼吹过的声音。

　　最后,黑莓掌用尾巴示意他们跟着爬上坡顶。"就快到了。"他告诉大家,"跟紧点儿。"

　　狮焰和其他猫都将肚皮贴着短硬的草丛,跟在黑莓掌身后,向悬崖边走去。

　　副族长会跳下去吗? 狮焰心想。每走一步,他们都离陡峭的悬崖更近一步。

　　但就在脚下的大地快要消失的时候,黑莓掌跳进了一条更深更窄的溪谷之中,那其实就是悬崖上的一条深沟,两边都很陡,顺着悬崖向下延伸。蕨毛紧随其后。狮焰走在最后面。溪谷地上尖尖的石头不是把他的脚掌扎得生疼,就是在他脚底滑动,险些让他滑倒。桦落滑了一跤,撞到了榛尾身上。蕨毛只好走到两名年轻武士之间,把他们隔开,以免他们俩再次撞到一起。

　　"谢谢啦!"桦落喘着气说道。

　　"一定要当心脚下哦。"蕨毛关切地说。

　　溪谷一直通往乱石林立的岸边,沙地几乎完全被鹅卵石遮住了。狮焰看到过刮大风时湖里的浪花,但这里的浪比湖里的大多了,巨浪猛烈地拍打着岸边的石头,并溅起团团飞沫。榛尾惊愕地睁大了眼睛,盯着那些巨浪,吓得不敢向前迈出一步。

　　"真讨厌。"冬青叶慢慢向悬崖边退去,"我的毛发都快湿透了,还黏糊糊的。"她转头舔了舔一侧的肩膀,抱怨道,"老鼠屎!"

　　狮焰同样感觉皮毛十分黏腻,他皱了皱鼻子,闻着空气中陌生的气味。这里真不是猫待的地方,他心想。

　　这时,黑莓掌尾巴一摆,跳上一块露出地面的大石头,随即消失在了悬崖底下。

　　"他去哪儿了?"桦落困惑地问道。

　　狮焰看到,副族长那双琥珀色的眼睛正在悬崖底部的阴影中闪动。

　　"来吧!族猫们!"黑莓掌大喊道。

　　其他猫迟疑地跳过去,跟着他走进了一个洞中。低矮的洞顶上满是犬牙交错的岩石。狮焰环顾四周,洞壁上是苍白色的沙土,洞底点缀着大而光滑的石头。头顶上方有一个小洞,一道灰白色的光线斜斜地从洞口照射进来。

　　狮焰突然想起,黑莓掌曾说过是怎样找到午夜的,便猜测地问道:"你就是从那儿掉下来的吗?"

　　黑莓掌点了点头:"是的。那时洞里全是水,我差点儿就被淹死了。你的母亲救了我一命。"

　　一股寒流顿时袭过狮焰全身,与洞外的水流一样湍急。他一时间几乎忘记了那些谎言和背叛。松鼠飞并不是我的母亲。这几个字险些夺口而出,但他把它们强压了回去。如果黑莓掌还不知道事情的真相,那现在还不是告诉他的时候。

　　冬青叶并没有听到狮焰和黑莓掌之间的对话。她正好奇地在洞里嗅来嗅去,还走到洞底后部向上倾斜的地方。那里的沙地更松软,地面上铺着一些树枝。

"这是干什么的啊？"冬青叶问道。

"这就是午夜的窝。"黑莓掌解释说。

狮焰第一次注意到，水的气息中夹杂着一股獾的气味。他脖子上的毛马上竖了起来，但他立刻让自己放松下来。这股气味已经不新鲜了，再说黑莓掌已经告诉过他们，午夜对猫很友善。

"她会来找我们吗？"榛尾紧张地说道。

"但愿如此。"冬青叶回答说，"松鸦羽给我们讲过午夜的所有情况。午夜知道很多事情。"

她的绿眼睛从阴影处朝狮焰瞥了一眼。这是她真正希望的吗?狮焰心里很纳闷。她真的以为，午夜能告诉我们，谁是我们的生身父母?

"午夜不在这儿。"黑莓掌失望地说，"气味也已经不新鲜了，在这里等她没有任何意义。她已经离开几天了。我们回头再来吧。"

猫群从洞中出来时，水已经涨得更高了。一个大浪打到岩石上，冲过鹅卵石。狮焰急忙往后一跳。水从他的脚掌间旋转而过，伴着嘶嘶的响声退去。

"快回溪谷去，快点儿。"黑莓掌命令道。

他率领远征队重新向岩石上爬去。潮水席卷过来，打湿了狮焰肚皮上的毛。他马上摇晃了起来，好不容易才站稳脚跟，拖着脚步走到安全的溪谷陡坡上。黑莓掌和榛尾已经率先走到了那里。冬青叶从他身后吃力地走过来，身上的黑色皮毛已经被溅起的水花浸透，紧贴在身体两侧。

"我讨厌这个地方!"她一面抖落身上的水,一面说道,"午夜居然住在这儿,她真是个鼠脑袋。"

她的话音未落,就听到了一声惊叫。桦落正要跳进溪谷时,一个巨浪向他袭来。冬青叶伸出一只脚掌,但还没来得及抓住他,巨浪便把他卷走了。狮焰瞥了一眼桦落的身影,看到他正在灰白色的水中挣扎,嘴巴惊恐地大张着。然后,他的头便没入了水中。

"他会被淹死的!"冬青叶惊声叫道。

说时迟,那时快,一个黑色身影从狮焰头顶一闪而过。黑莓掌已经跳入水中,正奋力向桦落消失的地方游去。蕨毛本来还摇摇晃晃地站在岩石上,见此情景,也急忙跟着副族长跳入水中。

狮焰也绷紧肌肉,准备跟着跳下去,却发现冬青叶挡在了面前。"你帮不上忙的。"她喘着粗气说道,"那样只会死更多的猫。"

"我们一定能做点儿什么的。"狮焰绝望地说道。

他向四周看了看,发现猫群上方不远处的岩石间,孤零零地生长着一棵矮树。

"榛尾,"他大喊道,"你能从那棵矮树上折下一根树枝吗?"

此刻,年轻母猫正盯着太阳没入的水面,眼看着族猫在巨波中挣扎,已经吓呆了。听到狮焰的话,她先是一惊,然后转过身去,伸出爪子拉住最长的那根树枝。

狮焰立即爬上去帮她。让他欣慰的是,那棵矮树已经枯萎了,树枝啪的一声从树干上断开。他和榛尾急忙把树枝扯下来,拖到水边。看到桦落重新露出水面时,狮焰舒了一口长气。黑莓

掌正紧紧咬住年轻武士脖子上的毛,蕨毛在他的另一边游动,试图将他推向岸边。

狮焰将树枝扔到谷底,并用尾巴示意妹妹,指点道:"用爪子抓住树枝的一端,然后用牙齿紧紧咬住,千万不能松开。"

冬青叶马上按照他说的去做,尽可能将树枝伸到水面上较远的地方。狮焰和榛尾蹲伏在她旁边,三只猫紧紧地拽住树枝的一端,竭力让它在巨浪中保持不动。此时,更多的水从他们身边卷过。

我们坚持不了多久的,狮焰沮丧地想,我们也会被卷走的。

他眯起眼睛,望着咆哮的水面,看到族猫正在水中上下漂动。一个大浪正将他们推向岸边。秃叶季短暂的一天就要结束,落日将水面染成了猩红色,族猫们的头仿佛已经成了汪洋血水中几个漂动着的影子。

浪头将他们冲得更近了。蕨毛伸出脚掌,奋力用爪子紧紧抓住树枝的那一头。"快点儿抓住它!"他冲桦落吼道。

年轻公猫看上去已经吓傻了,眼睛睁得老大。但黑莓掌一松开他的脖子,他便疯狂地抓住了树枝,并顺着它往上爬,一直爬到溪谷底部的岩石上。狮焰松开树枝,伸出脚掌,把桦落无力的躯体拖得更高一些。更多的水从他身上流出来,他吐出了一大口水。

蕨毛也拉着树枝爬到安全的地方,站在那儿抖落金棕色皮毛上的水。"黑莓掌!"他大声喊道:"黑莓掌,你在哪里?"

狮焰这才发现,副族长似乎消失了,他心底顿时升起一股惊

恐的寒意。他不可能被淹死了吧？万一没有他，我们该怎么办？

然后，他便看到，黑莓掌黑色的头从不远处的水面上露了出来。他正在奋力游动，但明显体力不支了。

波浪正猛烈拽动着树枝，冬青叶的尾巴已经浸在水中，但她和榛尾仍死死拽住树枝不放。

"往上退，但不能松手！"狮焰命令道。他的心跳得咚咚直响，像巨浪拍打岩石一样。然后，他抬高嗓门，用力吼道："黑莓掌！这边！"

听到他的吼声，副族长似乎重新找到了力量。他努力保持着漂浮状态，让下一个巨浪将他推向树枝。然后，他伸出爪子，紧紧抓住它，抢在巨浪将他重新卷走之前，将自己拖到岸上。

"狐狸屎！"他站在溪谷中的石头上抱怨道，脚下仍然有水流动，"我还以为，自己已经踏上去星族的路了呢。"

群猫开始从恶水边撤退。黑莓掌顺着溪谷向上爬，一直爬到桦落的旁边。此刻，桦落依然趴在石头上，眼睛紧闭着，只有起伏的胸膛表明他还活着。

黑莓掌用一只脚掌推了推他："桦落？"

年轻虎斑猫睁开了眼睛，颤抖着叹息了一声。"我差点儿就被淹死了。"他的声音还是恐惧得发颤，"我差点儿再也见不到白翅，见不到我们的幼崽了！"

"但你现在已经没事了。"黑莓掌的声音在喉咙里打转，有些刺耳，可能是刚才被水呛的，"我们该继续上路了。"

　　副族长率领猫群一直走到悬崖顶上那条较浅的溪谷之后，才示意大家停下来休息。这里能避风，波浪远在悬崖下轰鸣。他们瘫坐下来，把皮毛中的水清理干净。狮焰舔到了咸水的味道，直皱鼻子。他看到族猫们也在一边梳理着毛发，一边扮鬼脸。

　　"谢谢你，黑莓掌。谢谢你，蕨毛。"桦落轻声喵道，"感谢你们的救命之恩。"

　　蕨毛用尾巴尖碰了碰年轻公猫的肩膀："都过去了。感谢星族，我们都还活着。黑莓掌，午夜不在这里，我们下一步该怎么办呢？"

　　黑莓掌立刻抽了抽耳朵，接受了族猫圆滑的话题转变："我们将继续寻找日神。两脚兽地盘上的猫一定见过他。"

　　听到日神的名字，蕨毛脖子上的毛又竖了起来："是的，他看上去有点儿像宠物猫。"

　　日神才不是宠物猫呢。狮焰没敢把这些话大声地说出来，以免有猫问他，为什么如此熟悉日神。这该死的咸水已经让他快要喘不过气来了，他干脆不再试图将纠结的毛发舔顺，并与冬青叶交换了一个眼色。他并不想去两脚兽的地盘，而且能看出，妹妹和他的想法一样。榛尾看上去也很紧张，最后，桦落把他们的想法说了出来。

　　"我们必须到离两脚兽那么近的地方去吗？族群猫这样做是不对的。"

　　"我们别无选择。"黑莓掌怒声说道，"如果找不到日神，我们就不回雷族！"

狮焰心想：如果他知道蜡毛曾试图杀死松鼠飞，他还会如此热心地寻找杀死蜡毛的凶手吗？

但黑莓掌并不知道松鼠飞欺骗了他。她让黑莓掌相信，他是我们的父亲。如果黑莓掌知道真相的话，他还会对松鼠飞如此忠诚吗？

狮焰摇了摇头，想要摆脱所有的谎言。他必须把注意力集中在他唯一能控制的事情上：尽可能让自己成为雷族最优秀的武士。我知道，我仍然可以毫发无损地去打仗。我只需一个证明这一点的机会……

"怎么啦？"冬青叶伏在他耳边说道，"你听到什么了吗？"她的黑毛已经直立起来。

狮焰这才意识到，自己已经将爪子插入地里，仿佛随时准备进攻。"没有，没事啦。"他回答道，并强迫自己放松下来，"我只是在想日神的事。"

黑莓掌并没听到他们的谈话。这时，他宣布道："这样吧。悬崖附近没有适合猫生存的地方，也没有地方可以狩猎。因此，我们必须到两脚兽地盘的外围去，看看那里有没有什么猫见过日神。"

"但愿我们一直待在外围就好了。"冬青叶小声嘀咕道。

远征队小心翼翼地从溪谷中走出来，向悬崖旁开阔地里模糊的红色两脚兽巢穴走去。真是谢天谢地，尽管风还在猛吹，但咆哮的水声已经消失在身后。

太阳已经沉没到地平线下，草地也被阴影吞没。狮焰的肚子

咕咕地叫了起来,他这才想起,从一早到现在,他简直连猎物的气味都没有嗅到过。

蕨毛仿佛听到了他肚子里的叫声,便安慰道:"一到两脚兽的地盘,我们就马上去捕猎。"

那里能找到什么猎物啊?狮焰很纳闷,我可不吃宠物猫的食物!

离两脚兽的地盘越近,狮焰就越担心。从族猫直立起来的毛发以及闪烁的眼神中可以看出,他们和他的感受一样。突然,一个黑乎乎的东西伴着刺耳的叫声猛地向他们扑来。狮焰一下子被扑倒在地,滚向一边,他龇着牙齿,伸出爪子,看到一只蝙蝠正慌忙飞开,消失在越来越浓的黑暗中。

桦落强忍住才没大笑出声:"你没把它抓住,真是可惜。不然的话,我们都可以咬上一口。"

"六只猫分一只蝙蝠,恐怕每份都只有很小的一口吧?"狮焰没好气地说道。

两脚兽巢穴里开始出现亮光,天空被照得变成了奇怪的橙红色。狮焰皱起鼻子,嗅闻着奇怪的气味,周围陌生而又刺耳的声音让他颈毛倒竖。

他身后,冬青叶的眼睛在闪光,尾巴已经变成了平时的两倍大。黑莓掌和蕨毛走路时都更加小心了。巨大的两脚兽巢穴就在前方。

"我想,日神不会和两脚兽一起生活的。"黑莓掌说道,"因此,我们更有可能在两脚兽巢穴附近找到他,或者找到见过他的

猫。"

他领头走过一片柔软的草地，在一道很高的栅栏前停下了脚步。栅栏是用扁扁的木条修成的。狮焰嗅了嗅空气，从许多难以分辨的气味中，嗅出了两脚兽和狗的气味。

"每个两脚兽巢穴外都有一块小空地。"黑莓掌解释说，"它们是用木头栅栏或红石头围起来的。我想，这就是两脚兽划分边界的方法。"

"他怎么会知道这么多呢？"冬青叶怀疑地嘀咕道。

"旧森林里有个两脚兽地盘。"蕨毛告诉她，"就在我们曾经的领地旁边。你不记得那个故事了吗？火星从两脚兽巢穴里走出来，在森林里迷了路，遇到了灰条。"

冬青叶马上耸了耸肩："嗯，好像有印象。"

黑莓掌继续在前面带路，猫群顺着栅栏往前走，向一个被橙红色光照亮的缺口走去。但他们还没走到那儿，栅栏旁就传来了很响的犬吠声。两只狗往脆弱的木头栅栏上猛冲猛撞。狮焰一跃而起，惊恐地与冬青叶对视了一眼。万一栅栏被撞倒了怎么办？

"快跑啊！"黑莓掌大吼道。

远征队立即顺着栅栏往前冲，从缺口处冲了过去。狮焰的脚掌刚刚踩到栅栏尽头的黑色硬地上，便被笼罩在一道刺眼的白光之中。一头怪兽正向他们冲来！

他听到有猫发出了惊恐的尖叫声。一时间，狮焰仿佛在怪兽眼中看到了族猫的影子。然后，他跳回到雷鬼路边上，落在一丛荆棘中间。

等他敢抬头看时,怪兽已经慢了下来,正走进一个两脚兽巢穴后面的缺口中。刺眼的橙色光芒从雷鬼路两边高高的石头树上照下来。狮焰看到,就在他对面,桦落正趴在栅栏底部,蕨毛却趴在栅栏上,弓着背,尾巴竖起,浑身的毛都直立着。冬青叶和黑莓掌并排着从一棵树下的浓重阴影中走了出来。

"桦落?"狮焰低声喊道,"你没事吧?"

他欣慰地看到,那只年轻公猫从地上爬起来,抖了抖胡须。"我已经被吓得灵魂出窍啦。"他说道,"刚才那东西太猛了!"

狮焰刚才落下的那片荆棘长在两脚兽栅栏的另一个缺口边。当他看到两脚兽巢穴前还有一头怪兽时,肚子立即收紧了。然后,他的呼吸平缓下来,心跳也慢了下来,因为他意识到,那头怪兽正在睡觉。

缺口的另一边,一个闪亮的两脚兽物体已经翻倒,从中倒出一堆垃圾。狮焰闻到了鸦食的味道,立即皱起了鼻子。然后,那堆垃圾动了起来,榛尾从里面钻了出来,并不时抖落皮毛上的脏物。

"我刚才把它打翻了。"她抱怨道,"现在,我浑身都是这些讨厌的东西。"

狮焰走过去帮她清理。她皮毛上沾满了某种小碎片,闻上去像是植物,但冷冰冰黏糊糊的,像被拔起之后烂在雨里的药草。他小心翼翼地伸出一只脚掌,把那些东西拍掉。冬青叶和黑莓掌也都过来帮忙。

"味道真恶心。"榛尾舔了舔肩膀,又急忙用舌头舔舐嘴唇四

周,仿佛想摆脱那种恶心的气味。"天啊,我宁愿去吃狐狸屎。"

蕨毛走了过来,站在雷鬼路边上担任警戒,万一有更多的怪兽过来呢? 他身上的毛依然没有平伏下来。狮焰注意到,尽管黑莓掌在帮榛尾清理皮毛,但他自己看上去也很不安。

看到这名资深武士的自信被动摇,狮焰感觉自己的勇气大了一些。"旧森林附近不可能有狗。"他悄悄地对冬青叶说道,"你看,连黑莓掌都被吓了一跳。"

"真不知道还会有什么其他东西惊吓我们。"冬青叶回答说。

与此同时,桦落已经从雷鬼路上走了过来,正在那堆垃圾周围嗅来嗅去:"嘿,看看这个! 黑莓掌,这能吃吗? "

狮焰起初并不清楚,族猫从那堆垃圾中拖出了什么。那东西光滑苍白,闻上去有点像是新鲜猎物,不过,他们以前从没见过这种猎物,而且上面还有一股两脚兽的臭味。狮焰根本就不想吃那东西,但一想到食物,他的肚子就忍不住叫唤起来。

黑莓掌仔细地闻了闻,还从一边轻轻咬下了一点点。过了一会儿,他说道:"有点儿像黑鸟的味道。我想,吃下去不会有什么害处的,而且,我们也需要食物哦。"

"我觉得这意味着, 他认为我们无法在这周围捕到多少猎物。"冬青叶伏在狮焰耳边说道。

黑莓掌用爪子把那块猎物平均分给了每只猫。同时,桦落再次去检查垃圾,但没有再找到更多可以吃的东西。

狮焰嚼着那东西,对冬青叶嘟哝道:"如果不去想两脚兽的气味,这东西还不错。"

冬青叶正蜷伏在分给她的那份食物旁，急速地小口咬着：
"嗯！每天给我一只肥田鼠，我都能吃下去。"

填饱肚子之后，狮焰感觉更有力气了。但黑莓掌领着他们向
两脚兽地盘深处走去时，他又开始产生了成为猎物的感觉。四面
八方都是红石头巢穴，比石头山谷的石壁挤得更紧，而且比森林
里的树更高。走在硬硬的石头上，他的脚垫都疼了起来。怎么可
能有猫在这里生活呢？

他们顺着雷鬼路边缘悄悄地向前移动。石头树上发出的橙
黄色光照到族猫身上，在他们旁边的墙上投下了巨大的晃动着
的身影。突然，冬青叶一愣，并伸出尾巴碰了碰黑莓掌的肩膀。
"快看，前面有东西！"她紧张地压低声音说道。

黑莓掌竖起尾巴，示意远征队停下来。狮焰马上僵住了，以
为会听到另一头怪兽的吼叫声，但除了急速逼近的脚步声之外，
没有任何声音打破这份寂静。

榛尾往狮焰身边靠了靠。狮焰能感觉到她的皮毛在颤抖。
"万一是狗怎么办啊？"她悄悄地问道。

"那我们就狠狠地打它！"狮焰伸缩着爪子。

紧接着，他看到一只黑白相间的小个子猫从下一个转弯处
走了过来，这才松了一口气。那只猫停下脚步，弓起背，恐惧地盯
着这支远征队，身上的每一根毛都直立起来。

这个新来者几乎立即就向后退去，但眼睛一直惊恐地盯着
这些森林猫。它还来不及转身逃跑，黑莓掌就已经上前一步。

"我们不会伤害你的。"他说着，抬起一只前掌，表明他的爪

子没有伸出来，"我们只想和你谈谈。"

"他也是这样说的。"那只猫看上去几乎已经吓得魂不附体了，"结果你看发生了什么！"

黑莓掌还没来得及问他这话是什么意思，那只黑白猫已经转身逃跑了，消失在他出现的那个转弯处。黑莓掌拔腿就追，远征队紧随其后。但族猫跑过那个转角后，却看到雷鬼路上什么也没有。刺眼的橙黄色光下没有任何移动的东西。

"老鼠屎！"黑莓掌恨恨地说道。

"伟大的星族啊，他究竟说了些什么呀？"蕨毛不解地问道。

狮焰和冬青叶交换了一下眼神。他能看出，妹妹和他一样，脑海里立即闪出一个名字：日神！

黑莓掌抽动着耳朵，看着静悄悄的雷鬼路，大声说道："不知道他说的'他'究竟是指谁。你们认为可能是日神吗？"

"我敢用一个月的黎明巡逻来打赌，肯定是他！"桦落兴奋地说道。

"我们看上去和日神一点儿都不像。"黑莓掌若有所思地继续说道，"但在他眼里，我们都是陌生猫，日神一定也是。"

"那到底发生了什么事呢？"榛尾颤声问道，"从那只猫的表现来看，一定是坏事。"

没有猫回答。狮焰的腹部急速地起伏着。族猫们看上去都很紧张，眼里充满了恐惧，仿佛马上就会在下一片落叶中找到日神一般。

最后，黑莓掌打破了沉默："现在天色已晚，不能继续找了。

我们休息一下,明天一早再开始彻底的搜寻。"

　　他带领猫群往回走过转弯处,顺着雷鬼路向前走,经过了先前差点儿被狗袭击的那道栅栏前。现在万籁俱寂,但狗的气味依然浓重。狮焰伸出爪子,随时准备将利爪深深嵌入那些可恶家伙的皮毛之中。但栅栏后面没有声音。最后,他们回到来两脚兽地盘时经过的那片草地和树林中。

　　狮焰和冬青叶将就着在一棵树的树根中间安顿下来,远征队的其他猫也在附近找到了睡觉的地方。

　　"我累得脚掌都要掉啦。"冬青叶嘟哝道,并伸出脚掌打了一个巨大的呵欠。

　　"我也是哦。"狮焰生怕心中的担忧以及陌生的环境会让自己难以入睡。但他刚在枯枝败叶中把疼痛的躯体蜷缩起来,就感觉困意像厚重的皮毛一样向他压下来。睡意蒙眬中,他仍能听到太阳沉没之地那遥远的咆哮声。

第 九 章

一阵冷风吹动着松鸦羽的皮毛，将他唤醒。他从光秃秃的窝里爬了出来，自言自语道："我们这里需要更多的垫褥。现在这样，和睡在风族领地的山脊上没什么区别。"

他抬起头，嗅了嗅清晨的空气，闻到了一股浓烈的药草味。他低下头，准备迅速梳理一下皮毛，却嗅出叶池正在储藏室前面包裹艾菊。她身旁还有新鲜杜松叶和雏菊叶的混合物，都是用来减轻鼠毛关节疼痛的药草。

松鸦羽走到老师身后，讨好地说道："我帮你拿过去吧？"

叶池突然被惊得一跳。"别这样神不知鬼不觉地走到我背后！你把我的魂都吓跑啦。"她小心翼翼地把药草混合在一起，又补充说，"不用了，我自己来吧。你到育婴室去检查一下那里的每一只猫，还有垫褥，看看有没有跳蚤。我昨天看到小荆棘不停地在身上抓挠。"

松鸦羽转头走开，心里直冒怨气。"我究竟是巫医还是学徒啊？"他嘟哝道，声音大得足以让叶池听见，但这只母猫并没有说什么。

他掀开育婴室的黑莓帘,大声问候里面的猫们,然后便开始检查跳蚤。

"啊,谢谢你哦,松鸦羽。"米莉说道,"我身上肯定有几只跳蚤。能摆脱它们真是太好啦。"

"你需要换垫褥了。"松鸦羽告诉她。说话时,他在小荆棘的颈毛中摸到了一只跳蚤,马上用爪子将它戳死。"我会让狐爪和冰爪来给你换的。"除非叶池还希望我来做这些,他又愤愤地想。

"好啦,检查完了。"他对小荆棘说,"小梅花,我——"

他突然惊叫了一声,因为有爪子戳到了他的尾巴上。他扭动着身体,将尾巴抽了回来,转过身去,闻到了小蟾蜍的气味。

"我正假装你的尾巴是老鼠。"这只小公猫自豪地说道,"我还把它抓住啦!"

松鸦羽龇出了牙齿:"快把你的爪子收好!"

"你没必要这样。"黛西不满地说道,"他只是在玩耍嘛。"

松鸦羽很想回敬她一句,但强忍住了,他继续去检查小梅花和小黄蜂身上的跳蚤。他刚把小梅花的毛发拨开,小蟾蜍就又从黛西脚掌之间挣脱出来,兴致勃勃地跳着向他跑了过来。

"你能试着吃一只跳蚤吗?"他问道,"味道会不会很讨厌呀?"

"你为什么不自己吃一只呢,看看味道如何?"松鸦羽建议道。

"你就是跳蚤,我现在就来吃你!"小梅花尖叫着从松鸦羽的爪子下挣脱开,向小蟾蜍扑去。两只小猫扭打在一起,向松鸦羽

翻滚过来,使他几乎站立不稳。

"别闹了!"他怒骂道,"小梅花,你还想不想让我给你抓跳蚤啊?"

那只玳瑁色小猫立即停止了嬉戏,乖乖地重新站到松鸦羽面前。小蟾蜍也凑了过来。松鸦羽感觉到,这只小猫呼出的热气在他耳边吹拂着。

"你喜欢当巫医吗?"小蟾蜍问道,"如果巫医只负责找跳蚤的话,我可不想当。"

星族啊,请赐予我耐心吧!"巫医并非只做这些。"松鸦羽咬着牙回答道,"我们还得学习药草知识和——"

"你认为我可以成为一名优秀的巫医吗?"小蟾蜍还不罢休,"我将来一定很会找药草哦。我什么都能闻出来。我可以成为巫医吗?可以吗?"

"如果你还不闭嘴,将来能成为武士就不错了。"松鸦羽嘀咕道。

"嘿,黛西!"小蟾蜍蹦跳着从育婴室地面的凤尾蕨上跑开了,嘴里还嘶叫着,"黛西,松鸦羽在捉弄我!"

洞穴那边传来了黛西恼怒的声音:"说实话,松鸦羽,我觉得今天早上一定有蚂蚁爬到你身上去了。你应该出去一下,等心情更好一些时再回来。"

松鸦羽没有理会她,而是继续默默地寻找跳蚤。此时,他很想看到冬青叶和狮焰。他渴望和他们在一起,尤其是现在这种情况下,他们都不知道自己是在哪儿出生的,父母是谁,也不知道

松鼠飞为什么骗了他们这么久。最后，松鸦羽终于走出了育婴室。他停下脚步，长长地叹了一口气，秃叶季微弱的阳光轻抚着他的皮毛。突然，身后传来了族长的气味，他转过身去。

"早上好啊，松鸦羽。"火星的声音中透着关心，"你没事吧？有什么问题吗？"

"我没事。"松鸦羽尴尬地点点头。他不想告诉族长，他的所有问题都是族猫造成的。毕竟，就他所知，火星从来没有骗过他。

自己身上没有族长的血统，他感到很失望。他对这只姜黄色公猫的尊重与那个预言无关，却与火星领导雷族的方式有很大关系。为了雷族，他甚至染上了绿咳症，丢了一条性命。

"那就好。"火星说道。松鸦羽感觉到，族长并不完全相信他。"你知道的，如果有什么事情让你不开心，随时都可以告诉我。"

"嗯……好的。"松鸦羽觉得更加不安了。火星，你肯定不会想知道那些事的！

幸好，族长朝新鲜猎物堆走去了。尘毛、香薇云和沙风刚刚把狩猎巡逻中捕获到的猎物放入其中。松鸦羽独自站在石头山谷的边缘，仔细倾听空地上的声响。他发现，鼠毛和长尾正在长老巢穴外互相梳理皮毛，还能听到那名瘦骨嶙峋的褐色长老在抱怨："在旧森林里，从来没有哪个秃叶季像现在这样冷。"

学徒巢穴外，狐爪和冰爪正在练习一个新的格斗动作。松鸦羽提醒自己，一定不要忘了让他们去更换育婴室的垫褥。云尾和亮心正向荆棘通道走去。"我觉得，我们应该到那个旧两脚兽巢穴附近捕猎。"云尾建议道。

"蠢毛球!"亮心责骂道,"之前患绿咳症的猫待在那里时,所有的猎物都被吓跑了。"

"已经过去这么久了,它们应该回来了……"随着他们离开营地,友好的争吵声渐渐远去。

尽管阳光给松鸦羽带来了一丝暖意,但寒气仍然侵入骨髓。他感到了前所未有的孤独。岩石曾经告诉过他,答案就在他的族猫当中。但如果我没有族猫呢?

松鸦羽从苔藓训练地旁的树林里走出来,边走边抗议道:"我必须这样做吗?这简直是浪费时间,我们现在必须找药草。"

"药草又不会自己跑掉。"叶池生硬地回答说,"你和我一样清楚,每只猫都必须接受基本的战斗训练,即使你是巫医。"

松鸦羽本想再抱怨一句,但还是忍住了。他讨厌学习格斗,因为他知道,自己永远不可能打得很好。但与叶池争辩毫无意义,她这些天好像一直都很暴躁。

"好了。"叶池率先走到空地中央,"我们就从防守动作开始吧。我进攻你,然后你向一边躲闪,等我从你身边跳过时,你打我一掌。"

"好吧。"松鸦羽嘟哝道,"越早开始,越——嗷!"

叶池趁他说话之际,已经从他身边一跳而过,并在他的耳朵上狠狠地击了一掌。

"我还没准备好呢!"他大声叫道。

"你以为,影族武士在进攻之前,会事先向你发出任何警告

吗？你必须随时保持警惕，松鸦羽。"

最后几个字刚出口，叶池又向他跳了过来。这次，松鸦羽稍有准备。他跳向一边，并凭感觉向老师所在的地方挥出一掌，但脚掌只是擦到了她的毛发。

"嗯，好些了。"叶池称赞道，"但还不够好。我们再来一次。"

松鸦羽终于成功地打中了巫医一两下，但脚掌显得又笨又重，感觉也不像平时那样敏锐。尽管老师出掌不重，而且爪子也没有伸出来，但他仍然觉得自己似乎被打扁了，已经精疲力竭。最后，他在跳向一边时失去了平衡，随即瘫倒在一块粗糙的地面上。他胡乱挥动着四肢，却连叶池的毛都没有碰到。

"我在这儿呢，松鸦羽。"叶池的声音从空地的另一边传来，"说实话，你的战斗力还不如一只小兔子！我估计你根本没有努力练习。"

"不，我一直都在努力！"松鸦羽不服气地说道。

"我知道你的问题在哪儿。"老师的声音冷冰冰的，"你指望狮焰和冬青叶保护你，不想费心去学习如何保护自己。"

"不是这样的！"

"我认为是的。但狮焰和冬青叶不会一辈子待在你身边的。他们现在就不在。你需要自己照顾自己。"

松鸦羽没有回答。他从地上爬起来，一面用力抖落皮毛中的苔藓，一面愤愤地想：叶池什么都不明白。这件事对她和松鼠飞并不一样。如果她们走得这么近，她就应该知道，松鼠飞一直都在欺骗我们，宣称我们是她的孩子。可是叶池不可能允许姐姐做

出这样的事情。如果她知道的话,会怎么想呢?

暮色降临,松鸦羽在各种气味的包围中,一瘸一拐地回到了自己的巢穴。他的腿疼得要命,头也不时地刺痛着,因为他在训练时,把头撞到了一棵树上。他太过疲惫,已经无力再去给自己找疗伤的药草了。他蜷缩在窝里,嘟哝道:"希望叶池这下高兴了。估计明天我会迟钝得什么事都做不成。"

他闭上眼睛,但似乎片刻之后就又睁开了,星光在树叶上闪烁。他发现自己正在茂密的森林深处,伤痛已经完全消失了。温暖和煦的微风吹拂着皮毛,森林正在苏醒,秃叶季已经成为了遥远的记忆。

前面,一条狭窄的小路在拱状的凤尾蕨中蜿蜒向前,松鸦羽沿着小路走去。他支棱着耳朵,不时往四周看看是否有熟悉的猫。小路两边的灌木丛中发出了微弱的沙沙声,他还看到了若隐若现的皮毛,仿佛周围都是猫,但没有谁出来迎接他。

"谁在那儿?"他大声喊道,"黄牙?蓝星?有谁能听见我说话吗?"

没有回答。松鸦羽继续沿着小路往前走,每走一步,心情都更加沮丧一分。最后,他来到了一个长满柔软青草的空地上,空地中央有一个小水池,映照出了天上的星星。但他仍然看不到猫的影子。

"你们在哪儿?"松鸦羽站在空地上哀号道,"为什么不和我说话?"

空地对面的凤尾蕨沙沙地摇动起来,斑叶出现了。但松鸦羽发现,她的目光是那么警惕,尾巴也高高地翘在背上,他心中的欣喜顿时消失无踪。

"斑叶?"他迟疑地说道。

"我们不能给你你想要的答案。"那只玳瑁色母猫打断了他的话,"回你的族群去吧。真相就在那里。"

"但是——你必须告诉我其他的事情!"松鸦羽恳求道,"星族一直都知道松鼠飞和黑莓掌不是我们的父母,是不是?"

斑叶那双绿眼睛里迸现出愤怒的光芒。"你什么时候才会明白,星族不是什么事情都知道呢?"她甩着尾巴怒声说道,"有时,我们也有不懂的问题!有时我们也和你一样,只是一只普通的猫而已!"

她没给松鸦羽任何回答的机会,转身便消失在凤尾蕨中。

松鸦羽跳起来追上前去,却感到脚下的地面开始塌陷。他挣扎着在窝中醒来,睁开眼睛,眼前顿时一片黑暗。他大张着嘴,很想像一只被母亲抛弃的幼崽那样号啕大哭。

他们都走了:冬青叶和狮焰,甚至我的所有族猫。现在,连星族也走了。只留下我一个。

现在,他对那个预言——曾经让他充满希望的预言——的坚信,也建立在一个谎言之上。

你可能睡着时也是瞎的。现在该怎么办呢?

第十章

冬青叶在树根下那个勉强当窝的地方难受地动来动去。她旁边，狮焰的耳朵和尾巴都在抽动，好像他正在做噩梦。这里离两脚兽的地盘那么近，甚至半夜里，都有怪兽在咆哮，两脚兽在尖叫，狗也在狂吠，冬青叶不知道哥哥是如何睡着的。

我从未到过这么吵闹的地方，她心想，并试图在枯叶中找到一个舒适点儿的地方。宠物猫们怎么就忍受得了呢?

天快亮时，她才迷迷糊糊地睡着，但狮焰爬出窝时，又把她惊醒了。她打了个巨大的呵欠，跟着哥哥爬了起来。

两脚兽地盘的上空，橙红色的光已经被乳白色的曙光所取代。在天空的映衬下，两脚兽巢穴顶部呈现出黑色的轮廓。寒冷的微风吹动着树叶，每一片草叶上都结了霜。黑莓掌的目光掠过草地，望着远方。

"我们得回到两脚兽地盘上去。"他说道，"去找昨晚我们碰到的那只猫，并请他解释清楚，他昨晚的话是什么意思。"

榛尾的胡须紧张地颤动起来:"他们显然不喜欢陌生猫在周围逗留。"

　　桦落用尾巴尖拍了拍她的鼻子："我们在数量上占优势,即使遇到几只宠物猫,我们也能对付。"

　　冬青叶和哥哥交换了一下眼神。狮焰用爪子抓着脚下的草,低声说道："我想,日神就在离这里不远的地方。我敢用猎物堆上最肥美的田鼠跟你打赌,那只黑白猫那么怕我们,就是这个原因。"

　　冬青叶点了点头,并跟在黑莓掌身后重新走过草地,再次回到两脚兽巢穴之间的那个缺口处,强烈的好奇心让她渐渐有了更多的自信。她能看出,族猫的感受也和她一样。他们都睁大眼睛向前走着,尾巴高高地竖了起来。我们是武士!她提醒自己。我们不必害怕任何东西。

　　微风渐渐变成了刺骨的寒风,横扫这片由硬邦邦的红石头构成的世界。远征队慢慢地进入到两脚兽地盘的深处。光线很弱,他们几乎不能正确辨别出方向,太阳还没有升起,因此没有温暖的阳光融化雷鬼路旁水坑表面的冰。

　　"我快要渴死啦!"冬青叶低语道,"我感觉我的舌头像老鼠毛一样了。"

　　黑莓掌停下来嗅闻空气时,她在一个水坑边蹲伏下来,用舌头舔着水面上的冰,并心满意足地感到了一股沁心的凉意。

　　"走吧。"副族长说道,"这边。"

　　冬青叶正想跳起来,却惊慌地叫出了声。她的舌头被冻在冰上了!她试图抽身摆脱冰块,但舌尖却痛得要命。

　　"怎么啦?"狮焰问道。

113

"我的舌头……"冬青叶几乎连话都说不清了,"被粘住了!"

狮焰喷着鼻息,差点儿笑出声来。桦落弯下腰,直到与冬青叶鼻子相碰。她看到了他眼中打趣的神情,怒气顿时涌上心头。

"一点儿都不好笑啦!"由于舌头冻在冰上,她好不容易才尽量清楚地把这几个字说了出来。

"快退后。"冬青叶身后响起了黑莓掌镇定的声音,"让我看看。"他在桦落旁边弯下腰,轻轻地把这只年轻猫推到一边。"嗯,你当真被冻住了。"他说道。冬青叶能看出,他也在拼命忍住不笑。"我想,我们应该把这块冰敲下来,然后你将不得不一直带着它,直到它融化。"

"嘿,你已经找到给长老运水的新方法啦!"榛尾插话说。

冬青叶懊丧得皮毛直痒痒,并再次试图摆脱冰块,却只感到另一阵刺痛从舌尖蔓延开来。"好痛啊!快想办法啊!"

她想象着自己蹲伏在硬邦邦的地面上,伸出舌头的样子,也突然忍不住想大笑起来。我猜,我看上去的确很滑稽。她已经记不得上次发现如此好笑的事情是什么时候了。

"冬青叶。"黑莓掌就在她身边,琥珀色的眼睛闪动着,但声音很轻柔。他用鼻子碰了碰她的耳朵。"用力呼吸,你温热的气息应该可以把冰融化。"

他在冬青叶旁边蹲伏下来,向舌头被粘住的地方呵了一口长气。一股暖意顿时袭过冬青叶的全身。被关爱的感觉真好。但黑莓掌说出的下一句话,却让这种温暖的感觉瞬间化成了寒冰。"你知道吗?你真像你的母亲。她也总是被东西粘住或卡住。"

她不是我的母亲！

冬青叶猛地喘了一口气，重新开始扯舌头，终于把它从冰块上拉了下来。结冰的水坑表面，也就是黑莓掌呼气的地方，已经融化成了水。但她不会感激他。"好了。"她直起腰说道，"我已经没事了。我们——"

突然，身后传来一声低吼，打断了她的话。每只猫都转过身去。不远处，一群狗正站在雷鬼路旁，挡住了他们的去路。一共有五只，它们形态各异，有棕白色杂乱皮毛的小狗，也有猛兽般的黑褐色巨型大狗。它们的眼里都闪动着凶光。

冬青叶听到榛尾嘘声说道："噢，不……"

"快往后退。"黑莓掌的声音虽然低沉，但很镇定，"千万不要转身就跑。"

恐惧已经把冬青叶的脚掌牢牢地定在地上，比刚才冰上的舌头粘得更紧。她无法动弹，脑子里立即闪现出狗牙撕裂皮毛的情景，鲜血飞溅……

狮焰用力推了她一下，她站立不稳，差点儿摔倒。"快啊！"他嘶喊道。

突然，冬青叶发现自己可以动了。所有的本能都在向她尖叫，让她转身逃跑，但她强迫自己一步一步地向后退。那群狗步步紧逼，与他们之间始终保持着相同的距离。那只黑褐色猛犬已经张开大嘴，露出黄色利齿，齿尖涎水正在滴落，它喉咙里发出了一声长长的怒吼。

不远了，冬青叶在心里给自己鼓劲儿，一退到空地，我们就

可以爬到树上去。

然后，她听到身后传来了另一声怒吼，顿时，身上的每根毛都直立起来。她回过头去，看到另两只狗出现了，封锁了他们的退路。它们看上去和前面那几只狗一样凶狠，嘴大张着，舌头伸得老长。

"这下我们成了它们的新鲜猎物。"桦落悄悄地说道。

前面那几只狗也向他们跳了过来。

"快跑！"黑莓掌大吼道。

他的后腿猛地一蹬，向一条狭窄的缝隙冲去。缝隙的一边是两脚兽巢穴，另一边是高高的木栅栏。冬青叶和其他猫跟在他身后冲过去，狗群狂吠着紧追不舍。冬青叶有生以来从未经历过如此恐怖的事情，甚至蜡毛把他们阻挡在着火的崖顶上时，她都没这么害怕过。她时刻都以为，那两排尖利的黄牙已经穿透了她的腹部。在坚硬的地面上奔跑，她感觉脚掌痛得火烧火燎的，呼吸也撕扯着她的胸膛。

狮焰跑在她旁边，身上的毛蓬松开来，使他看起来有平时的两倍大。冬青叶知道，他想转身迎战恶狗。不要！它们会把你撕成碎片的！

"别离开我！"她一面跑，一面急喘着说道。

但更多的狗出现在他们前头，把那条狭窄的小道封住了。黑莓掌突然转向，跑上一条小路，小路两侧都是又密又厚的树篱。族猫们紧跟着他奔跑，但狗已经追了上来。

冬青叶突然意识到，狗群一直在稳步追来，它们并没有把全

部力量使出来,似乎在等这些猫精疲力尽,然后轻易地将他们全部消灭。她突然想起来,以前去山地时,鸦羽就是这样教风爪捕捉兔子的——但现在,我们是猎物!

突然,黑莓掌停下脚步,钻进树篱下面一个狭窄的缺口中。他用力蹬着后腿,强行将身子挤了过去。"快点儿!"他喘着粗气说道,"它们不可能钻过来的!"

蕨毛首先将榛尾推了过去,然后是桦落。"冬青叶,快!"他催促道。

冬青叶不想离开哥哥,但已经没时间犹豫了。她钻过那些多刺的灌木。蕨毛跟在她身后,狮焰则在蕨毛后边奔跑。由于钻得太快,他金色的毛发被荆棘挂掉了几缕。

"吃鸦食的泼皮狗!"他回头向树篱旁怒骂道。

冬青叶环顾四周,胸脯剧烈地起伏着。她正站在一块平坦的浅绿色草地上,周围是低矮的灌木。草地一边是个两脚兽巢穴,所有入口都紧闭着,没有两脚兽的影子。

"也许,我们现在可以——"黑莓掌开口说道。

但他把后面的话咽了回去。冬青叶恐惧地睁大了眼睛,因为她看到,树篱只延伸到两脚兽巢穴的墙边,剩下的缺口上只有一道低矮的栅栏。那些狗已经轻易地从栅栏上跳了过来,正从草地上向远征队冲来,它们眼中闪动着饥饿和仇恨的光,怒吼声已经变成了狂喜的吠叫。

它们很享受这一切呢!冬青叶转身逃跑时突然领悟到。

忽然间,两脚兽巢穴的门打开了。一只两脚兽冲了出来,尖

叫着向那些狗挥动着一根长棍子。另一只两脚兽吼叫着跟了出来,手里拿着一个亮闪闪的东西。他用那东西对准狗群,水顿时喷涌而出,恶狗们纷纷躲避,并连忙把身上的水抖掉。

两脚兽领地的远端也有一道木栅栏。黑莓掌向那里冲过去,同时挥动尾巴,示意其他猫跟上。他们上气不接下气地往滑溜溜的木头上爬去。榛尾开始不断地向下滑,蕨毛从下面推了她一掌,黑莓掌则紧紧地抓住她的颈背,把她拉了上去。冬青叶爬到安全的地方后才意识到,她的脚掌在木栅栏上留下了斑斑血迹。

狗群在栅栏脚下挤来挤去,嘴里发出呜呜的叫声,爪子则在栅栏上抓挠,想捉住族猫。黑莓掌低头瞪着它们,弓起背,毛发倒竖,既有恐惧,也有愤怒。"快滚开,你们这些癞皮狗!"他恶狠狠地说道。

突然,那只巨大的黑褐色猛犬从其他狗中挤出来,冲过草地,向两脚兽巢穴附近的那道矮栅栏冲去。其他狗一窝蜂地跟了过去,跳过栅栏,回到小巷中。

"它们准备在那里截住我们!"桦落喘着粗气说道。

"我们不能待在这上面了。"黑莓掌的声音很紧张,"跟我来!"

他跳下去时,第一只狗已经出现在小巷的转弯处。他拔腿顺着小巷狂奔而去,尾巴在身后跳跃,腹毛从地面的石头上刷过。冬青叶和其他猫跟在他身后飞奔。

我们坚持不了多久的!冬青叶心想。

黑莓掌突然转向,拐进了另一个缺口,但又马上停了下来。

其他猫来不及刹住脚步，一下子撞到了他的背上。冬青叶向前看去，恐惧再次袭上心头。这条小路没有出口。他们面前是一堵高墙，也是用那种红石头砌成的，几乎和两脚兽巢穴的围墙一样高。我们永远都爬不上去！

黑莓掌向墙上跳去，但立即摔了下来，伸出的脚掌离墙顶还很远。冬青叶知道，即使其他猫都能跳上去，榛尾也绝不可能跳得那么高。而且，两边的树篱看上去也太厚，他们根本钻不过去。

尽管害怕得浑身颤抖，榛尾仍然勇敢地说道："你们走吧，别管我。"

蕨毛用尾尖碰了碰她的肩膀。"我们不能继续走了。"他轻声说道，"族猫都累得走不动了，也无处可去了。"

"那里如何？"冬青叶这时发现，旁边的一个角落里，有一些又高又亮的东西，像是十分光滑的大石头，周围弥漫着两脚兽垃圾的气味。她用尾巴指了指："我们可以藏到那里去。"

蕨毛飞快地扫视四周，看看有没有更适合藏身的地方，但他什么也没有看到，于是迅速地点了点头："走吧！"

黑莓掌先把榛尾推进隐蔽处，又把桦落推进她和闪亮大石头之间的狭窄缝隙里。冬青叶和狮焰也跟着躲了进去。蕨毛和黑莓掌在他们藏身处的外围蹲伏下来，耳朵和胡须颤动着，等待着恶狗的出现。

冬青叶和榛尾紧紧地挤在一起。她能感觉到，榛尾一直在颤抖。她还听到，尽管榛尾已经在尽力克制自己，却还是不由自主地发出一阵阵惊恐的呜咽声。

"我知道,我再也见不到我的幼崽了。"桦落嘟哝道,"只希望白翅能够平安。"

从沉重的脚步声和喧闹的犬吠声可以听出,狗群已经追到了小路上,即使在两脚兽垃圾的气味中,冬青叶也能闻出它们的臭味。我猜,这意味着它们也能闻出我们的气味。

然后,她感觉到狮焰正从她旁边挤出去,准备向蕨毛和黑莓掌蹲伏的地方走去。仿佛有一股冰水流过全身,她惊愕地意识到,他竟然想出去和那些狗拼命。

"不要!你不行的!"她嘶喊道。

"我可以的!"狮焰用闪亮的琥珀色眼睛看着她,坚持要出去,"我不会受伤的,你知道。"

他挤到银色大石头边上,从黑莓掌和蕨毛身边挤了过去。黑莓掌问道:"看在星族的分上,你究竟想干什么呀?"但他根本没有理会。

"狮焰,不要啊!"冬青叶尖声喊道,"快回来!"

第十一章

　　狮焰听到了妹妹的喊声，但没有理会。他知道，他身上的每根毛发都知道，他能打败那些狗。他感觉到热血正在血管中剧烈涌动，学过的每一个战斗动作都在爪尖上跃跃欲试。

　　狗群好像正在用慢动作靠近。他有足够的时间观看它们的表演。他看到，恶心的口水正从恶狗的嘴唇上流下来，它们的脚掌在地上踩踏出咚咚的响声。他的目光从一只狗移动到另一只狗身上。

　　我先进攻那只黑褐色猛犬。它倒下时，一定会把那只瘦小的灰狗绊倒，如果我的运气足够好，那只白狗也会被绊倒。然后，我再进攻那只狂吠不止的有着黑脚掌的小讨厌……

　　他依稀听见，族猫们在他身后低吼着什么，但他仍然没去理会。这是我的战斗，只有我能救他们！

　　狮焰摆开架势，准备跳起来。这时，他在领头那只大狗的黄眼睛里看到了惊愕。"你从没想到过，猫也敢反击吧！"他奚落道，"那么，现在就让你知道猫的厉害！"

　　武士的最后几个字被淹没在一阵嘈杂声中。他回头一看，发

现一块银色大石头已经翻倒，一个银色圆盘从地上滚到了狗群中间。恶狗停止了进攻，都在原地团团转，拼命躲开那个圆盘。

狮焰惊讶地看到，一只深褐色虎斑母猫突然从翻倒的大石后面站了起来。那块大石头比惊恐的族群猫离树篱更近。"快！"她急切地说道，"快帮我把这个推倒。"

母猫直起身，把前爪搭在闪亮的大石头边上。黑莓掌跳到她旁边，和她一起推动石块。突然，那块大石像之前那块一样哗啦啦地翻倒了，顶上的银色圆盘滚了出去。两脚兽的垃圾从里面倾泻而出。

现在，恶狗狂怒地号叫着，在那些大石上乱抓，试图绕过它们，把利爪嵌入猎物的皮毛之中。

"快跑！"那只陌生母猫命令道，"这个东西不足以拖住它们太久的。"

树篱下刚好有一个被银色大石挡住的狭小缺口，她从中冲了过去。远征队跟在她身后，全速飞奔而去，冲过了一块宽阔的灰白色石地。

身后重新响起了犬吠声。狮焰一面逃，一面回头望了一眼。那只棕白相间的小狗和灰色瘦狗已经从缺口处钻过，正从石地上冲过来。

"它们来啦！"他喘息着说道。

"走这边！"那只母猫说道。她带领众猫顺着两道高栅栏之间的狭窄小路往前跑，在一个边缘呈锯齿状的小洞旁停下了脚步。"钻过去。"

桦落缩成一团,率先钻了过去。榛尾和冬青叶紧随其后。狮焰也紧跟着勉强钻过了小洞,结果一个倒栽葱,落到了脆弱的草丛中。他惊恐地大叫一声,顿时头晕目眩。他摇摇晃晃地站起来,发现黑莓掌已经在他旁边。陌生母猫正从那个洞里爬过来。

"蕨毛呢?"副族长焦急地问道。

一声尖叫回答了他的问题。金棕色公猫吃力地把身体从栅栏下拖过来,脚掌胡乱地挥动着,好不容易才把尾巴也拖了过来。"狐狸屎!"他瘫倒在草地上,喘着粗气说道,"该死的癞皮狗咬到我了!"

黑莓掌迅速嗅了嗅族猫的尾巴。狮焰看到,蕨毛的毛发掉了一些,但好像没有血迹。

"你会没事的。"副族长宣布道,"我们现在去哪儿啊?"

母猫的回答淹没在狗群的狂吠声中。它们正在猛撞栅栏。栅栏被撞得吱吱作响,似乎很快就会被撞倒。

周围两脚兽巢穴墙上黑乎乎的洞中,慢慢地出现了亮光。狮焰听到一只两脚兽在愤怒地喊着什么,但狗群继续狂吠并撞击着栅栏。他看到,那只棕白相间的小狗已经把头从那个小洞中伸了过来,小洞周围的木头开始破裂,他的肚子立即绷紧了。

那只褐色虎斑母猫冲上前,用爪子猛抓狗的鼻子。恶狗号叫着把头缩了回去。

"这下知道我的厉害了吧!"她满意地说道。然后,她又对猫群说:"快,跟上我!"

众猫跟着她,向两脚兽巢穴的入口处冲去。黑莓掌却突然停

下了脚步。

"我们不能到那里面去!"他抗议道,"那是两脚兽巢穴。"

"那好!"虎斑猫厉声说道,"那你就待在外面喂狗吧。"她从入口处那块木板旁边的一条小缝里挤了进去,随即消失了。

黑莓掌和其他猫交换着疑惑的眼神。然后,副族长耸耸肩,竖起尾巴,示意大家跟着钻进去。狮焰停下脚步,回头望向草地,看到那只小狗还在洞口挣扎,它已经设法让肩膀和一只脚掌钻过了小洞。

狮焰感觉身上的毛发倒竖,热血又沸腾起来,并随时准备投入战斗。他似乎看到,自己的爪子已经深深嵌入到那只狗的皮毛之中,并已经品尝到了鲜血的滋味,听到了惊恐的犬吠声。

然后,他听到一声碰撞和两脚兽的吼声,听上去比先前近多了。恶狗刺耳的叫声变成了恐惧的嘶吼。那只小狗挣扎着向后退去,从小洞中抽出身体,然后消失了。

犬吠声渐渐远去,狮焰的毛重新平顺下来。没能在恶狗身上施展战斗技巧,他心里有点儿失望。然后,他感觉到蕨毛正在推他,于是急忙跳了起来。

"快走吧。"金棕色公猫用耳朵指了指两脚兽巢穴,"你在等什么啊?"

其他猫已经进去了。狮焰从缝里挤进去,蕨毛紧跟在他后面。他发现,自己正身处在一个小小的方形洞穴中,族猫们在洞穴中央挤作一团,紧张地打量着四周。他嗅了嗅空气:有股浓烈的猫的气味,两脚兽的臭味已经变得非常微弱。

"这里有点儿奇怪,"他疑惑地说道,"为什么……"

褐色虎斑母猫没有理会他。"走这边。"她轻快地说道,"你们既然来了,还是认识一下其他的猫吧。"

她带领猫群穿过一道拱门,进入一个更大的洞穴中。光线从墙上一道狭长的裂口中透射进来。狮焰迟疑地迈动着脚步,猫的气味扑面而来,几乎有种在森林里巡逻后、回到营地的感觉。冬青叶紧紧地靠着他,与他皮毛相擦,黑莓掌和蕨毛则一直走在远征队的外围。狮焰知道,他们随时准备在必要的时候保护这些年轻猫。他不禁想到:我也是一样。如果必须杀出一条生路,那么,我已经准备好了。

黑莓掌示意远征队在洞穴中央停下来。一只宽肩灰色公猫正坐在墙上裂口下面一个窄窄的壁架上, 一只棕色斑点母猫则蜷缩在一块软软的石头上,石头是鲜艳的两脚兽的颜色。四只幼崽正在她肚子上吮吸奶水。族猫依稀可以看到,洞穴的另一边,还有一只猫正在一个两脚兽的木制品下面打量着他们。

狮焰屏住了呼吸,因为他认出,那只坐在另一块软石上的黑白色公猫,正是他们头晚遇到过、然后又跑掉的那只。

狮焰还没说话,虎斑母猫便介绍说:"我是金戈,那是虎萨。"她用尾巴指了指壁架上的灰色公猫,"那位是幼崽们的母亲,名叫褐斑。"

"你们好!"虎萨懒懒地摇了摇尾巴。褐斑只是抽了抽耳朵。她看上去很机警,仿佛害怕新来者可能会伤害她的幼崽。

"那是豆荚。"虎斑母猫继续说道。木制品下的猫冲他们眨了

眨眼。"豆荚,出来吧,没有谁会伤害你的。我想,你们已经认识弗利兹了。"

说完后,她便跳到软石上的黑白公猫身边。后者则瞪大眼睛看着族群猫,没有说话。

黑莓掌走上前去。"你把我们当成谁了?"他问弗利兹。公猫没有回答。他又转向金戈:"我们昨晚碰到过他,他好像认为,我们可能与另一只猫有关系。他说那只猫和你们说过话,结果却给你们惹出了麻烦。你知道那只陌生猫是谁吗?"

"自从日神走后,我们已经不相信任何来这里的陌生猫了。"金戈的声音很严肃。

狮焰觉得皮毛颤动起来。我们没走错!日神来过这里!

"日神?"蕨毛脖子上的毛起伏着,"这么说来,你认识他?"

金戈点了点头:"他在上个秃叶季来到这里,但谁也不知道他是从哪儿来的。他在两脚兽地盘边上住了一阵子。后来天气变冷,他便搬到了这个废弃的两脚兽巢穴中,还请其他一些没有主人的猫和他一起住。"

"我就是其中之一。"豆荚从木制品下爬了出来。族猫这才看清楚,原来,他是一只骨瘦如柴的棕色公猫,口鼻已经老得发白。"褐斑和弗利兹同我一起来的。"

"后来,我和虎萨一起加了进来。"金戈继续说道,"我听说,这里的猫群给自己找了个家,觉得这个主意不错。"

"日神表现得很像你们的首领吗?"狮焰问道。这只斑点泼皮猫曾试图接管影族,也许,那不是他第一次统领一群猫。

"对,他有没有让你们相信什么特别的事情？"冬青叶补充道。

金戈困惑地回答道:"没有。他只是说,我们可以按自己喜欢的方式生活,因为那是我们值得拥有的生活。他还说,生活很美好……"

"生活并不美好！"豆荚恨恨地说道。他坐了下来,抬起一只后腿在耳朵后面抓挠。"日神让我们干什么,我们就必须干什么,比如为他寻找食物,给他的窝里铺羽毛等。他还吓唬小猫,说没有他,小猫就都要死。"

"没那么糟糕！"金戈反驳道,"你说的都是后来发生的事。"

"为什么不能这么说啊？"豆荚停止了抓挠,怒视着她,"那个鼠脑袋的白痴还差点儿让我们都送命！"

弗里兹一个劲儿地点头,还紧张地抽了一下胡须,但仍然没有说话。

狮焰看了看冬青叶。妹妹看上去和他一样震惊,眼睛里闪着光,爪子用力地抓着坚硬的地面。日神在森林里生活时,从来没有想要哪只猫死去,狮焰心想,冬青叶是不是在怀疑,他可能真的杀了蜡毛呢？

他的注意力被褐斑的四只幼崽吸引了过去。小猫们离开母亲的肚子,一只接一只地从那块软石上爬下来。褐斑坐起来,紧张地看着这一幕。那只最大的幼崽——一只皮毛与他母亲一样的褐色斑点公猫,蹦蹦跳跳地向黑莓掌跑去。

"我是欢蹦。"他自豪地宣布道,"你叫什么名字呀?你要来这

里住吗？"

黑莓掌摇了摇头。"我们只是路过而已。"他对所有猫补充道，"我叫黑莓掌。"他又一一介绍了远征队的其他成员，"感谢你的帮助。"说完，他朝金戈点了点头，"多亏了你，我们才没被狗撕成碎片。"

"我们会帮助任何遭遇那些狗的猫。"金戈回答说，"而且，欢迎你们留下来，你们想住多久都行。"

"谢谢你。"黑莓掌鞠了一躬，"现在，你能告诉我们，日神都做了些什么吗？"

金戈在软石上趴下来，把脚掌埋到胸口下面。虎萨轻盈地从壁架上跳下来，在豆荚身边坐下。狮焰第一次注意到，他腰上有一道很长的伤疤，毛发还没长出来。他环顾四周，发现其他猫身上也有伤痕：弗利兹的一只耳朵被撕裂了，豆荚的口鼻处有伤疤，金戈的尾巴尖没有了。

"这些猫曾经身陷苦战。"狮焰悄悄地对冬青叶说道。

他在坚硬的地面上坐了下来，心中思念着森林里的草，以及武士巢穴中软软的苔藓。冬青叶在他身边坐下，爪子仍然不安地伸缩着，其他族猫则在他们四周蜷伏了下来。

"最初，日神并没惹出什么麻烦。"金戈开始讲述，"他不善交际，从不踏入宠物猫的领地。"

"他是第一只发现这个废弃两脚兽巢穴的猫。"虎萨插话说，"然后，他便邀请其他猫来这里和他同住。刚开始时，是邀请那些没有两脚兽照顾的猫。"

"他说他想让我们都能安全地生活。"褐斑爬到离软石稍近一些的地方喵道。

豆荚哼了一声："其实,他可能更想让我们为他做事。他是只名副其实的懒猫,在这里过得很是惬意。"

"这样说不公平!"褐斑反对道,"相比之下,这里的确更安全,我们不用四处游荡,也不用睡在灌木下面。"

没等豆荚继续争辩,黑莓掌便催问道:"那后来发生了什么事? "

"越来越多的猫来到这里。"金戈继续讲述,"当时,我原本和两脚兽住在一起,但我喜欢日神所做的事情,就想过来尝试一下。"

"不久后我也来了。"虎萨补充说,"我喜欢这种自由。这里可以自由来去,不用等着主人命令我。"

"自己捕猎也比吃那些干巴巴的两脚兽食物好得多。"金戈说道。

"但两脚兽为什么让你们留在这儿? "蕨毛好奇地问道,"他们不想要这个巢穴了吗? "

"显然不想要了。"虎萨耸耸肩说道。

"过去,偶尔会有小两脚兽来这儿。"金戈解释说,"不过,他们从不撵我们出去。现在他们不来了。"

"日神会告诉我们,如果成年两脚兽来了,我们该怎么办。"褐斑解释说,"这个巢穴的顶是尖的,尖顶下面有个黑黑的空间。日神让我们藏到那上面去。"

"他们的确来过一两次。"弗利兹第一次开口说话了,"我们都藏了起来。"

"两脚兽一次也没发现过我们。"褐斑自豪地摇了摇尾巴。

尽管狮焰有足够的理由不相信日神,但他仍觉得,日神在这里做过的并不都是坏事。猫群在这里找到了住处,还能互相支持。他不清楚,为什么宠物猫也会想来,但泼皮猫在这里生活,肯定要比在野外生存更好,尤其是在严酷的秃叶季。这有点儿像两脚兽地盘版本的族群。

"那后来出了什么问题呢?"他问道。

"你难道猜不到吗?"金戈阴沉地回答道,"恶狗发现了我们。但是它们无法进到这里来,因为大部分狗都太庞大,无法从入口处的那条缝里钻进来。"

"有一次,一只小狗钻了进来。"虎萨伸出爪子,喉咙里发出一声低吼,"但我们令它没敢来第二次。"

"可是只要我们一出去,它们就伏击我们。"弗利兹打了个寒战,"然后,还追赶我们。"

"又笨又蠢的畜牲!"豆荚抽动着尾巴尖说道。

"如果我们捕猎成功,恶狗就会偷我们的猎物。"金戈继续说道,"它们还杀死了花儿。"她的眼神既难过又内疚,"她是只漂亮的年轻母猫。她主人的巢穴就在我主人的旁边,是我劝她来这里的。"

然后,她低下了头。弗利兹轻轻地拍了拍她的肩膀。

为了表示尊重,蕨毛静默了一会儿,然后问道:"日神对这些

事有什么反应？"

"我说，我们应该向狗证明，我们有权住在这儿。"虎萨接着往下说，"因此，他制定了一个计划。他在怪兽睡觉的石地旁找到了一个废弃的小两脚兽巢穴。他说，如果我们可以把狗引诱到巢穴里再围攻，它们就无处可逃了。"

弗利兹不由得颤抖起来，并发出一声可怕的喵呜声，爪子插进了身下的软石中。金戈安抚地靠到他身上。

"那么，计划失败了吗？"黑莓掌猜测道。不过，狮焰已经知道了这个问题的答案。

"你认为呢？"豆荚没好气地说道。

"然后，日神便教我们怎样打仗。"金戈继续说，"我们训练了很长一段时间——"

"这意味着我们没有多少时间捕猎。"豆荚打断了她的话，"我当时饿得喉咙里都快伸出爪子来了。"

金戈没理会他的打岔，继续说道："然后，日神说我们已经作好了准备。他挑选了一只叫胡椒的公猫出去捕猎，然后让恶狗追他，一直追进那个小巢穴。我们都等在巢穴入口处，准备跟在狗后面进到里面，把它们堵在巢穴里猛打。日神和我们在一起，正当——"

"你怎么又在说这些废话了？"一个新的声音从狮焰背后传来。他回过头，看到一只黑色公猫正站在巢穴入口处。他的毛蓬松开来，让他看上去比平时大一倍，尾巴左右摆动着。

狮焰的肌肉绷紧了。这种状态的猫随时都在准备着打架。但

他又马上意识到,黑色公猫的愤怒不是冲着他或他的伙伴来的。

"没事的,黑玉。"金戈说道,"这些猫问起——"

"不,肯定有事。"黑玉嘶喊道,"永远不会太平的。我永远都不想再提起那只猫!"他怒气冲冲地转过身,随即消失了。

"对不起,我们惹恼他了……"榛尾盯着黑玉消失的地方说道。

"这不是你们的错。"金戈安慰她,"胡椒是黑玉的手足,现在,黑玉不能忍受任何猫提起日神。"

"胡椒死了?"冬青叶问道。

虎萨点了点头,神情黯然:"我们还没跑进那个巢穴,他就死了。当时,我们躲在另外一个两脚兽巢穴的顶上,看到胡椒从石地上飞奔而过,狗在后面紧追不舍。我从未听到过恶狗发出那么可怕的狂叫声!然后,我们便听到一声更可怕的尖叫——"

这时,巢穴外突然传来一声叫喊,仿佛是虎萨刚才的话召唤出来的。狮焰的脚掌顿时刺痛起来。紧接着,突如其来的犬吠声响起,而且越来越近。所有族群猫都吓傻了,他们伏低身子,爪子抓挠着坚硬的地面。豆荚嗖的一声钻回两脚兽的东西下面去了,褐斑焦急地用尾巴催促幼崽:"孩子们,快过来!"四只幼崽急忙爬回软石上。褐斑用腿和尾巴保护性地围紧了他们。

只有金戈和虎萨表现得很镇静。金戈说道:"它们进不来的。"

听到洞穴外传来了抓挠声,狮焰一跃而起。虎萨也赶忙跳起,但很快又放松下来。一只姜黄色和白色相间的母猫把头从入

口处伸了进来,嘴里叼着一只还没僵硬的老鼠。一只灰色虎斑公猫在她身后向洞穴中张望着。

"啊,是你啊,梅丽。"虎萨弓起背,伸了个懒腰,又重新坐下,"还有奇尔普。过来认识一下这些新来的猫吧。"

梅丽向洞穴中迈了一步,绿眼睛从族猫们身上扫过。然后,她摇了摇头,嘟哝了一句什么,便退了出去。由于她嘴里叼着猎物,谁也没听清她说了些什么。狮焰听到她的脚步声慢慢消失了。

但是,奇尔普却走进洞穴中,坐了下来,虽然他只是坐在门边,但还是一直紧张地回头张望着。

"自从和狗打过那一次仗之后,我们都很警觉。"虎萨解释道。

"这能怪我们吗?"豆荚又出现了,还舔了几下胸脯,假装刚才藏起来的速度没那么快。

"讲讲后来发生的事吧。"狮焰催促道,"你们听到那声尖叫之后……"

"我们都冲进了巢穴。"金戈将爪子嵌进了软石中,"胡椒已经死了。狗群正把他的尸体扔来扔去。我们立即发起进攻,但势单力薄。它们的数量太多了,并且个头庞大,非常凶猛,我们难以对付。每只猫都受了伤。它们把雪儿撕成了碎片,小丑伤得也很重,我们刚把他带回这里,他就死了。"

狮焰突然感到一阵厌恶。日神犯了一个可怕的错误。每只猫都可能在那场战斗中丧生。而且,狗群显然没有罢休。

"你们怎么不问问,日神是否参加了那场战斗呢?"豆荚怒声说道。

黑莓掌竖起了耳朵:"难道?"

"他连一只爪子都没举起来帮助我们。"老公猫恨恨地说道,"他甚至没去观战!我们在舔伤口时,他却在这里悠闲地走来走去。"

"后来发生了什么?"蕨毛问道。

金戈抽了抽耳朵:"如果他承认错了,结果可能会有所不同。但他坚持说,是我们决定要去打仗的,我们输了也不是他的错。然后,他就坐下来,开始清理自己,还让黑玉给他拿食物。"

"如果不是我把黑玉拦住,他可能早被黑玉撕碎了。"虎萨补充说道。

桦落的胡须颤动着:"要是那样就好了!"

金戈立即露出了惊讶的神色,但她没有提出任何疑问。"因此,我们请日神离开。"她说道,"如果有必要,我们会把他驱逐出去。但他只是说我们错了,然后便乖乖地走了。"说到这里,她叹息了一声,"也许他说得没错。我现在也搞不清楚了。"

"不,金戈是对的。"桦落在狮焰耳边悄声说道,"如果没有日神,他们会活得更好。我们也是!"

金戈站起来,打了个呵欠,伸了个懒腰,然后重新坐下:"我们要说的就是这些。现在,给我们讲讲你们知道的事吧。"

黑莓掌和蕨毛交换了一下眼神。蕨毛首先说道:"有一天,日神来到了我们居住的森林里。那一定是他从你们这里离开之后

的事。他跑去和影族——我们附近的一些猫——一起住了一阵子，还蛊惑他们不再相信武士守则，不再信仰武士祖灵。"

这些曾经的宠物猫茫然地互相对视着，显然从没听说过星族和武士守则。

"他试图说服你们的时候，口才一定非常好。"金戈嘀咕道。

狮焰瞥了一眼冬青叶。他们比大多数猫都更清楚，日神的说服力有多强大。尽管狮焰对恶狗做过的事情满心恐惧，但他仍然忍不住想道，也许日神是对的，那次败仗也许不应该怪他。他伸缩着爪子，想象着自己与那些狗正面冲突时会怎么办。也许，他们应该更加努力地训练。

"那你们是因为日神对……对影族做过的事在找他吗？"金戈问道。

"不，是因为另一名武士——"桦落急切地说道。一想到要讨论蜡毛的死，狮焰的心里就翻腾起来。

黑莓掌竖起尾巴，示意年轻武士安静。"我们需要和日神谈谈最近发生的一件事。"他镇静地说道，"你们最近见过他吗？"

"没见过，我们也不想再见到他。"豆荚怒声说道。

虎萨低声附和着。但狮焰注意到，褐斑看上去却充满了渴望，似乎她对日神的印象比较好。

"我再也没有见到过日神。"一直默默坐在门边的奇尔普突然说话了，这让狮焰猛然一惊，"但我听说他又回来了。"

虎萨用爪子狠狠地抓挠着地面："他肯定不敢回来！"

"不是回到这里。"奇尔普解释说，"是回到两脚兽地盘的另

一边。有只叫波弟的猫过去就住在那儿。"

"我们认识波弟!"狮焰兴奋地说。他随即想起了那只带领族猫走过一段山地之旅的独行猫。

"谢谢,你们提供的信息对我们的帮助很大。"黑莓掌说道,"我们马上到那里去找他。"

"现在去已经太迟了。"金戈站起身,轻轻地从软石上跳下来,落到虎萨身边,"你们今晚可以住在这里。"

黑莓掌点了点头:"非常感谢。"

"你们可以和我们一起进食。"金戈继续说道,"走吧,虎萨,去帮我拿些猎物过来。"

两只猫离开了,不一会儿就拿来了很多新鲜猎物,在场的所有猫一起分享这些食物。褐斑从她那块软石上跳下来,与他们一起进食,她的幼崽们在她身后挤作一团。她挑出一只老鼠,幼崽们欢闹着吃了起来。

狮焰蹲伏下来,一边开始吃一只黑鸟,一边悄悄地对冬青叶说道:"这不可能是日神教他们的。还记得日神是怎样告诉影族的吗?他说,每只猫都应该自食其力。任何依赖其他猫的行为,都是软弱的表现。"

冬青叶点了点头:"这些猫显然在什么地方有个新鲜猎物堆。而且,他们为那些无法自己捕猎的猫捕食。几乎像个族群了哦。"

"看上去,没有日神他们过得更好。"尽管狮焰这样说,但他知道,这里有与他意见不同的猫。他曾经感受过日神的魅力和风

度:他不怒自威,非常清楚什么事是正确的。金戈和其他猫一定也有过同样的感觉。那只泼皮猫走后,他们一定也想念过他。狮焰思绪纷杂地吃着自己的那只黑鸟。鸟肉肥美多汁,但却有一股雷鬼路的气味。如果不是这么饿,他可能会觉得,这只鸟是难以下咽的。

吃完之后,褐斑的幼崽开始玩耍起来。他们把一片树叶打来打去,兴奋地尖叫呐喊着,并滚成一团。个头和年龄都最大的幼崽欢蹦把树叶向狮焰打过来。

狮焰把树叶打回去的同时,紧张感顿时消减了不少。这有点儿像在石头山谷中与幼崽一起玩耍。褐斑的孩子们已经够大够强壮,几乎可以成为学徒了。

很快,他们就将学习打仗和捕猎了,他心想,但这些猫有能力把他们教好吗?

冬青叶也加入到了游戏之中。她追着树叶跑,跳上去踩它,直到四个幼崽都玩累了,瘫倒在母亲身边直喘气。

"这些小猫真不错。"狮焰喘息着,一屁股坐在褐斑面前,"他们长大后一定很强壮。"

"但愿如此。"褐斑嘟哝道,并弯腰舔舐欢蹦乱蓬蓬的皮毛。然后,她又抬起头来:"不管你怎样看待日神所做的事情,你都不对。"

狮焰望着冬青叶,肚子突然一紧。妹妹的绿眼睛警觉地睁大了。这只猫究竟知道多少呢?

由于过度吃惊,他一时不知如何回答才好。过了一会儿,褐

斑继续小声说道："日神从不自己动脚掌。如果发生了什么事，总是其他猫去做。也许是在日神的命令下，也许不是。因此你无法把任何事情都怪罪在他的头上。"

她的声音里有一种渴望，尽管她知道日神在这里造成的伤害，但仍然希望他回来。

冬青叶伸出尾巴，碰了碰褐色母猫的腹部："你的幼崽是日神的吗？"

褐斑急忙摇了摇头。"恶狗开始找麻烦的时候，他们的父亲就离开了。"她犹豫了片刻，又几乎是挑衅地补充道："我倒希望他们是日神的幼崽。我知道，其他猫都说他出卖了我们，但是，是我们自己决定要攻击狗群的。日神并没有强迫我们做过任何事情。"

不，他只是让你们觉得别无选择而已。狮焰不能大声向褐斑说出这些话。她显然还深爱着那只泼皮猫。

他和冬青叶又互换了一下眼色。他们都没提起蜡毛，但狮焰知道，那名灰毛武士的死一定让妹妹心情沉重，他自己的感觉也是一样。

褐斑低下头，继续为欢蹦梳理皮毛，她一边舔舐一边说道："如果日神回来的话，我会很高兴见到他的。"

第十二章

　　松鸦羽难受地在光秃秃的地上蠕动着身体。至少每只猫都应该有合适的床铺睡觉吧？但头一天，叶池一直让他忙个不停，害得他根本没时间去找新鲜苔藓。"给洞穴换换空气有好处。"叶池是这样说的。哼！松鸦羽又扭动了一下，感觉到黎明的冷风吹拂着皮毛。

　　他听到有猫掀开黑莓帘的声音，便马上清醒过来，并闻出了叶池的气息，以及她嘴里叼着的苔藓的味道。终于开始铺新床了！但她为什么不叫我去帮忙呢？松鸦羽气得脚掌直痒痒的。叶池好像已经打定主意自己做事，甚至是最基本的事情，也不让他帮忙。难道是她认为我太无能了，甚至以为我连苔藓都不会拿吗？

　　但抗议也没有用。松鸦羽从本是他安身之地的凹处爬出来，帮助叶池把苔藓铺在溪流旁。病猫们正在那里睡觉。

　　"需要我再去拿一些吗？"他讨好地说道。

　　老师只是哼了一声，声音中听不出任何感情色彩。松鸦羽很想问问，是什么让叶池如此不爽。但他知道，她什么也不会告诉

他。就算我只是问一下，她都可能把我的耳朵撕碎。他心想，关于叶池的近忧和我的身世之谜，得到答案的唯一方式只能是自己去寻找。

松鸦羽用脚掌把苔藓整齐地铺好，思绪却已经回到了最早的记忆中。哥哥姐姐都不在身边，他的心里像有爪子抓挠一样难受。如果我们能共享记忆，可能会发现更多的事情呢！

他回忆起，他们经历过一次寒冷的漫长旅程。地上的雪深及腹毛，他循着母亲的气味往前走——不对，应该是松鼠飞的气味！他抓着一团苔藓，设想自己已经回到了那个大雪飘飞的森林里。他努力地分辨每一种气味：他自己的、狮焰的、冬青叶的和松鼠飞的……还有另一种气味！另一只成年猫，身型温暖而庞大。他以前从未记起过这个细节，但那只猫当时肯定是存在的，就在松鼠飞前面，冒着大雪为他们开路……

她是谁呢？松鸦羽很想知道。带我们回山谷的是两只猫吗？

他需要去询问另一只猫。松鼠飞带着他们回到石头山谷时，这只猫一定要在雷族，同时还必须是一只不会对他的问题产生怀疑，也不会把他问的事告诉其他族猫的猫。

嗯，有一只猫不会传八卦……

"我再去拿些苔藓回来。"他说着，把爪子里的最后一团苔藓铺好。

他没给叶池反对的机会，便掀开黑莓帘跑进了空地。但他不是朝通道走去，而是冲过空地，向榛树丛下的长老巢穴跑去。

"嗨，鼠毛！"他躲在一串忍冬藤下喊道。

142

瘦骨嶙峋的深棕色长老正蜷缩在榛树旁。她忍住呵欠,嗔骂道:"我希望听到的是你的尾巴着火了,或者狐狸入侵营地了。除此之外,你还有其他像样的借口,这么早就把我吵醒吗?"

"对不起。"松鸦羽嘟哝道。老鼠屎!这样的开始可不妙……

"别担心她。"长尾温和地说道。瞎眼长老就坐在鼠毛旁边。松鸦羽听到,他正在用舌头狂舔皮毛,彻底地清理自己。"鼠毛已经睡了好长时间,早该醒了。"

这时,鼠毛烦躁地哼了一声:"嗯,你有什么事吗?"

"我来给你们抓跳蚤啊。"松鸦羽解释道,同时飞快地想主意,"有名学徒巡逻时带回来了几只。"他希望两位长老不会对其他猫提起这个谎言。

"我身上还没发痒呢。"鼠毛说道,"但你还是可以为我检查一下的。"她舒舒服服地趴下来,脚掌蜷在身子底下。松鸦羽开始拨弄她那好久没梳理过的厚皮毛。她又说:"但愿你不会漏掉任何一只。你给叶池当学徒的时间已经够长了。"

松鸦羽很想反诘一句,但强忍住了,因为他意识到,这正好可以作为谈话的开端。"的确够长了。"他说,"我是在秃叶季中旬出生的,对吗?"

"是我记忆中最冷的秃叶季。"长尾肯定了他的问题,"直到现在,我还记得那场雪有多厚。当松鼠飞带着你们三个幼崽回到石头山谷时,整个族群都惊呆了。她说幼崽提前出生了,比她预料的时间要早,因此,她没来得及回到育婴室里。但更让族猫感到奇怪的是,有哪个猫后会选择在秃叶季生幼崽呢?"

　　"感谢星族,幸好有叶池陪着她。"鼠毛补充道。松鸦羽拨开她头上的毛发时,她的耳朵颤动起来。"不然的话,她的麻烦就大了。"

　　叶池!松鸦羽原本正用爪子在鼠毛的皮毛间摸索,听到这句话时,他突然停住了。这么说来,他一直没能辨认出的那只猫就是叶池。她从来没说起过,他出生时,她和松鼠飞在一起……

　　松鸦羽在地上摸到一根小树枝,捡起来支在鼠毛背后,俯身用牙齿将它咬得咯吱一声。"你现在不用担心这只跳蚤了。"他说道。为了让自己听上去好像并不在意刚才听到的那番回答,他又补充说:"你还记得松鼠飞带我们回家时的其他事情吗?"

　　"记得的不多。"长老回答说,"天太冷了,又下着雪,我们大多数时候都在睡觉。但我的确记得,每只猫都很吃惊,因为松鼠飞出去时,居然没有意识到预产期已经很近了。不过话又说回来,她一直就是个马大哈,从小就是。"

　　"你当时注意到什么……奇怪的事情没有?"松鸦羽又俯身咬了一下小树枝,暗自希望鼠毛不会以为她真的长满了跳蚤。

　　"奇怪的事?"鼠毛反问道,"族群现在做的很多事情才让我觉得奇怪呢。"

　　"我记得。"长尾插话说,"大概就是那个时候,叶池开始给你吃一种味道怪怪的药草。"

　　松鸦羽的耳朵竖了起来:"什么奇怪的药草?"

　　"啊,我怎么知道呢?"鼠毛嘀咕道,"像往常那样,叶池给我拿来一些艾菊。我想,她是期望我在每个秃叶季都可以把那东西

当主食吃。艾菊中就混有那种味道怪怪的东西。"

松鸦羽的脚掌突然刺痛了一下,这告诉他,那种奇怪的药草是关键。"叶池说过那是什么吗?"

鼠毛伸展着四肢,抖了抖皮毛:"没有。我也从来没问过。我抱怨味道不好时,她就直接把剩下的都拿走了。她还说,反正这也不是专门给我准备的。"

"那药草的味道具体是什么样的啊?"松鸦羽追问道,同时开始给长尾检查跳蚤。

"奇怪,但不难吃。"鼠毛说道,"如果叶池给我吃讨厌的东西,我会把她的耳朵撕烂的!那东西吃起来冷冷的,像皮毛上的霜,和草一样清新,不过是干巴巴的粉末。我猜,多半是叶池储药洞里的什么东西。"

"真奇怪。"松鸦羽又咬了一下小树枝,"叶池一般不会把药草搞混的。"

鼠毛哼了一声:"她要帮助松鼠飞照料你们这些幼崽,整天忙得满地跑!她那小题大做的样子,搞得每一只猫都会认为,松鼠飞是头一个产崽的猫后!"

"的确……"松鸦羽嘀咕道。

他很快就给长尾做完了检查,而且真的找到了一只跳蚤,并用牙齿将它咬碎。然后,他向长老告别,到森林里去搜集苔藓。他一边用牙齿从树根中间扯苔藓,一边想鼠毛说的神秘药草究竟是什么。真奇怪,叶池居然没告诉长老那是什么,也没说是为谁而准备的。更奇怪的是,一向细心的叶池居然犯了错误。

我得弄清楚那是什么药草。松鸦羽一面这样想,一面将苔藓搜集到一起,准备拿回营地。

回到巫医巢穴后,他发现,在他和长老说话的那段时间里,叶池已经拿回了更多的苔藓。"你到河族找苔藓去了吗?"她追问道,"或者,你又到森林里闲逛去了? "

"呃……没有啦。"松鸦羽放下苔藓,把它们铺到自己的窝里,"我觉得应该先去看看长老。"叶池没说什么。他又补充道:"鼠毛给我讲了一个奇怪的故事。她说,有一次,你给过她一种味道怪怪的药草,混在了艾菊里。"

叶池心里一惊,但随即又镇静地说道:"我不记得了。什么时候的事啊? "

"哦,好久以前了。"不知为何,松鸦羽觉得不能说得太具体。他不想让老师察觉,他在调查自己的身世。"你知道那是什么吗? "

叶池烦躁地嘶鸣一声:"我怎么会知道?看在星族的分上,你以为我没有更重要的事要操心吗? "

"我只是——"

"如果你无聊到必须询问上一个秃叶季的事,那么,我很快就能找到事情给你做。我们这里还需要苔藓,你再去采一些吧。"

"好的。"松鸦羽巴不得马上离开。他从空地上走过时,心想:我根本就没提到上一个秃叶季。同时,他还感到了老师的恐惧。叶池并没有说实话。她知道那种药草是什么,并且还知道那很重要。我肯定很接近真相了。但叶池不想让我知道……

拂晓之光
SUNRISE

第十三章

冬青叶醒过来时,惊异地眨了眨眼睛,因为她不是在营地的武士巢穴里,而是在两脚兽巢穴的石墙之间。然后,她才记起,他们还在寻找日神的途中,又想起金戈把他们从狗嘴中救了出来,到了这儿。

冬青叶坐起来的同时,狮焰打了个呵欠,并伸展着四肢。"我不喜欢这个地方。"他嘀咕道,"我们该走了。"

冬青叶低声附和着。即使这里没有两脚兽,武士们离两脚兽的东西这么近,也是不对的。

黎明的曙光从墙上的裂口中照射进来。冬青叶环顾四周,看到桦落和榛尾还在沉睡,蕨毛正蜷伏在裂口下方的壁架上,头天晚上虎萨曾在那儿坐过。她没有看到黑莓掌。但不久之后,副族长就从外面跳了进来,通过门边那条缝隙挤进巢穴,来到蕨毛旁边坐了下来。

"到处都静悄悄的。"他说道,"但有一股浓烈的狗的气味。"

冬青叶颤动着胡须。即使在这里,她也能闻到那种恶臭味。

"我们必须动身了。"蕨毛说道,"你看到金戈了吗?"

　　黑莓掌摇了摇头。褐斑和幼崽正蜷缩在一块软石上,弗利兹和豆荚的头枕在对方身上。四周没有其他猫的影子。

　　"她一定就在附近的什么地方。"黑莓掌从壁架上跳了下来,"我想,我们可以信任她。"

　　他走过去把桦落和榛尾推醒。两名年轻武士还在眨巴着眼睛驱赶睡意时,金戈走了进来。

　　她轻快地点头问候大家:"早啊。你们准备好了吗? 我们走吧。"

　　她带领猫群钻过墙上的裂口,进入到两脚兽领地。猫群全部暴露在秃叶季冰冷潮湿的空气中。然后,她警告族猫说:"这次的路线稍有不同。到达目的地之前,我们的脚掌是不会落地的。"

　　冬青叶惊愕地看着族猫们,发现他们的表情也同样惊讶。脚掌不落地?那怎么可能去任何一个地方呢?难道金戈想让他们飞起来吗?

　　"自从那场猫狗大战后,在地面行走已经不安全了。"金戈解释道,"恶狗总是伏击我们,并像追赶猎物一样围堵我们。"

　　听到这话,冬青叶颤抖起来,往狮焰身边靠得更拢了:"就像我们昨天遭遇的那样。"

　　狮焰点了点头,琥珀色的眼睛闪着光,他伸缩着爪子,仿佛正在用它们撕扯侵犯族猫的恶狗。最好别碰上它们,冬青叶心想。

　　"因此,我们找到了另一种在领地上行走的方式。"金戈继续说道, 然后便优雅地跳到两脚兽栅栏的顶上。"你们准备好了吗？"她回过头来看着族群猫。

黑莓掌急忙跳到她旁边，远征队的其他成员也跟着跳了上去。金戈迈步向前，在狭窄的栅栏顶上轻松地保持着平衡。然后，她转过一道弯，从几个小两脚兽巢穴旁走过，栅栏两边都是小雷鬼路。

冬青叶突然呆住了：一个两脚兽巢穴的门打开了，一只小白狗跳了出来，尖厉的叫声在空中回荡着。

"没事的。"金戈安慰族群猫，"那是看家狗，是个什么都不会的蠢东西，和所有狗一样，但没那些疯狗危险。"

冬青叶只得勉强相信她的话。但是，当她看到那只小狗顺着栅栏底部跑过来，还在一丛灌木下的泥土中乱刨时，不免庆幸自己的位置够高，小狗够不着她。她用爪子紧紧地抓住窄窄的木条，把注意力全部集中到前方狮焰的尾巴尖上。

栅栏延伸到一排平顶小巢穴前就没有了。"这是怪兽的巢穴。"金戈告诉他们，并跳到了最近的屋顶上。

"怪兽还有巢穴？"榛尾惊叫道。

"当然啦。"金戈用尾巴指着一只正从雷鬼路边上走过来的两脚兽，说道，"快看。"

族群猫跳到她身边的巢穴顶上，看着那只两脚兽打开一个巢穴的门，随即便消失在了门里。不一会儿，他们就听到了怪兽的咆哮声。一头怪兽从中爬了出来，顺着雷鬼路跑去，两脚兽就坐在它的肚子里。

"星族啊，原来这是它们睡觉的地方啊！"桦落脖子上的毛立

即竖了起来。

"是的,但怪兽没办法爬到这里来的。"金戈说道,"我们走吧。"

猫群在平坦的巢穴顶上轻松地行进着,一直走到另一道栅栏上方。更多的两脚兽巢穴出现在眼前。天越来越亮,一股强风刮起。冬青叶每走一步都抓紧脚爪,生怕被风从狭小的落脚之处刮落下去。原来,金戈所说的脚掌不落地就是这个意思啊——不是飞起来,而是一直待在那些疯狗够不着的高处。她试图想象,在森林里脚掌不落地是什么情景,也许不得不从一棵树跳到另一棵树上,才能摆脱追捕者,保住小命。

任何猫都不应该被迫像这样生活。她想道。

在下一个转弯处,栅栏变成了一堵红石头砌成的墙,它的顶部更宽,更好走一些。这里的雷鬼路也很宽,两边都长着石头树,还有几头怪兽在路上潜行。每隔一段距离,就有一道低矮的木栅栏把墙隔开。金戈滑到栅栏上,快步走过,然后跳上另一头的墙上。族群猫紧随其后。一想到头天那些狗是怎样从矮栅栏上跳过来的,冬青叶就紧张得毛皮刺痛。但今天,没有狗出现,每只猫都安全地抵达了木栅栏的另一头。

金戈在离墙稍远的地方停下了脚步。冬青叶探头望去,发现那里有一段木栅栏倒掉了,在他们行走的这堵墙与下一堵墙之间留下了一个缺口。而且,仿佛听到信号一般,他们身后的什么地方突然响起了犬吠声,一阵风吹来了狗的气味。

"我们必须跳过去。"金戈当机立断,"向后退一点儿,给我留

出助跑的距离。"

族群猫刚刚退后,她便顺着墙顶逐渐加速跑过去,在墙的尽头飞身一跃,动作优美地落到了对面的墙顶上。族群猫面面相觑。冬青叶发现,榛尾和桦落看上去都很紧张。

她觉得,自己最好先闯过这一关,而不是看着族猫们先跳过去,于是说道:"我第二个过去。"她顺着墙顶飞奔起来,还没来得及想象脚下宽宽的缺口和附近狂吠的疯狗,身体已经跃入空中。

她的脚掌刚刚落在红石头上,金戈就跳上前来把她扶稳。

"干得漂亮。"褐色虎斑猫说道,"向前走,给你的族猫留出空间。"

冬青叶从她身边挤了过去,转过身时,刚好看到蕨毛轻松地跳过缺口,然后是桦落。这名年轻武士的前爪落到了墙上,但后爪仍在墙下晃荡着。犬吠声更大了,两只狗从转角处冲了过来。桦落惊恐地瞪大了眼睛。蕨毛快如闪电,一口咬住他的颈背,将他拖上了墙顶。桦落飞快地卷起尾巴,刚好躲过领头那只疯狗的牙齿。

桦落颤抖着说道:"谢谢你,蕨毛。我还以为,我就要成为狗食了呢。"

榛尾恐惧地盯着下面狂吠的狗群,在缺口那边发抖。那两只恶狗直立起来,正疯狂地在墙上抓挠着。"黑莓掌,我跳不过去啊。"她颤声说道,"我真的跳不过去,我会掉下去的。"

"不,不会的。"副族长给她鼓劲儿,"你很擅长跳跃,一定能跳过去的。"

"如果你掉下去了,我就马上跳下去赶走那两只狗。"狮焰向她保证。

榛尾绝望地看看他们俩,然后退后几步,向墙的尽头跑去。她跳起来时,两只狗都向她扑来,但她轻松地越过了缺口,腾空的距离比缺口还长出一段。桦落热烈地迎接她,并在她耳朵上飞快地舔了一下。

狮焰紧跟着跳过了缺口,然后是黑莓掌。猫群又开始重新出发。恶狗一直紧跟着他们,走在下方的不远处,由于够不着猎物,它们沮丧地哀号着。冬青叶不知道是否有办法摆脱它们。两脚兽地盘不会一直延伸下去的。他们迟早得下到地面,然后就会被撕成碎片。

"你们想去哪儿?"

一个声音从前方传来。冬青叶看到,一只巨大的蓝毛公猫站在那里,已经和金戈鼻子挨着鼻子了。他皮毛光滑,身形肥硕,一看就是只吃得很好的宠物猫。但他脖子上的毛却已经直立起来,那双蓝眼睛看上去很不友好。

"麻烦你,让我们过去。"金戈镇静地说道。

"嗯,那就快走吧。"宠物猫低吼道,"我要回家睡觉了。我可不想整天听到这些吵闹声。如果不是你们,那些狗根本不会来这儿。"

狮焰顺着墙边挤到金戈身旁,眼中闪出了怒光。冬青叶的毛皮立即刺痛起来。如果在这里挑起战争,交战双方可能都会滚到墙下,落入垂涎欲滴的狗嘴里。

　　黑莓掌马上竖起尾巴，示意狮焰不要轻举妄动。"不要惹麻烦，除非宠物猫先进攻。"他命令道，"还是让金戈来处理吧。"

　　狮焰遵从了副族长的命令，但他一直狂怒地瞪着那只宠物猫。

　　"是你在阻碍我们。"金戈仍然镇静地说道，"如果你不在这儿挡着路，我们早就走了。"

　　蓝毛公猫愤怒地哼了一声，但没再说什么。相反，他跳到两脚兽的领地上，向两脚兽巢穴冲去，随即消失在了门上的一个小洞中。

　　冬青叶终于舒了一口气。他们有更重要的事情去做，没时间教宠物猫什么是礼貌了。恶狗仍然紧跟在下面。他们在墙顶加快脚步，一直走到另一个拐角处。

　　"这里就是甩掉那些狗的好地方。"金戈告诉他们。转过拐角后，她率先走到两个两脚兽巢穴之间的一道狭窄的木栅栏上。尽管狗群试图钻进栅栏底部的一个缺口，但根本没法再跟上他们。冬青叶和族猫们向前方的两脚兽巢穴走去时，身后传来了恶狗无奈的叫喊声。

　　"走这边，注意脚下。"金戈跳到巢穴入口上方狭窄的平台上，然后抓住一旁的攀爬杆向上爬，一直爬到巢穴顶部的边缘。"这并不难！"她向下喊道，并用尾巴示意族群猫也爬上去。

　　"那刺猬也会飞啦！"桦落嘀咕道。

　　但是，轮到冬青叶攀爬时，她意识到金戈说得没错。那个攀爬杆上有粗大的弯把儿，很容易抓紧，而且攀爬杆够结实，甚至

能承受黑莓掌和狮焰的重量。但当她试图抓住巢穴顶部的边缘时，却没有成功，而且感觉脚下摇晃不定。她很害怕，生怕自己会被风吹下去。

黑莓掌喘着粗气爬了上去，站在金戈身边问道："我们现在要往哪儿走啊？"

作为回答，褐色虎斑母猫开始顺着陡峭的斜顶向上爬。"这是一条捷径。"她说道。

"我们爬不上去！"榛尾气喘吁吁地说，"一定会摔下去的！"

"如果金戈可以，我们也能做到。"蕨毛坚定地说，"榛尾，往上爬吧。我就在你后面。"

森林猫连滑带抓地向金戈爬去。此刻，她正盘坐在斜顶的最高处，尾巴环绕着脚掌，旁边有几根石头树桩。

冬青叶奋力爬完最后一段距离，站到她身边时，金戈说："这里真是美极了。有时，我会专门爬上来看风景。"

即使毫无必要，你也会到这上面来吗？冬青叶感觉刚才拼命往上爬时，爪子都快累断了。尖尖的屋脊向两头延伸，站在上面感觉太窄了，很难保持住平衡。风吹乱了她的皮毛，胡须也被吹得贴在了脸上。

她不想让金戈知道自己有多么不安，于是强迫自己抬起头，不去看紧紧抓住屋脊的爪子。突然间，她的恐惧被忘到九霄云外。哇，简直就是一望无际呀！她可以从两脚兽地盘鳞次栉比的巢穴顶一直望过去，看到太阳沉没之地和悬崖顶上那块平坦的草地。再远处，就是汹涌的灰白色波浪，一直延伸到天际。

"快看啊！"狮焰拖着沉重的身体爬上来,在冬青叶身边站稳,然后惊喜地喊道,"我可以看到山地啦！"

冬青叶转过身,向相反的方向望去。森林边缘,山地像地平线上的云团一样铺展开来。她可以看到灰色的山坡和悬崖,以及高耸入云的山峰。

"你认为,我们现在和站在山地上时一样高吗?"她惊奇地问道。

"当然不一样。"狮焰的声音里带着一丝嘲讽,"我们可是用了好长时间才爬到瀑布顶上的。"

冬青叶意识到,哥哥说得没错。但那些山好像离得很近,她几乎可以从这顶上跳下去,直接落在瀑布后面的山脊上,而急水部落的家就在瀑布后的山洞里。

"不知道他们现在在做什么。"她嘀咕道,像是在自言自语,"我们还能再见到暴毛和溪儿吗? "

但没有回答。远征队的其他成员刚刚爬上屋脊,金戈就站了起来。"接下来的这段路,你们必须格外小心。"她警告道,"下去可比上来难得多。如果滑倒的话……嗯,最好别滑倒。"

说完,她用半蹲的姿势小心翼翼地从巢穴顶部的另一边往下走。冬青叶的脚掌在光滑的石头巢穴顶上慢慢地向下滑动,没有任何可以抓住的东西,而且,斜顶下方好像什么都没有。她刚下到一半,一只巨大的白鸟突然从她身旁飞过,发出一声沙哑的叫声。那叫声伴随着鸟翅膀的拍打声在空中回荡。冬青叶吓呆了,拼命将爪子插进脚下的石头中,直到白鸟消失。

“我再也不会干这种事了！”桦落在她身后嘶喊道。

他们终于下到巢穴顶部的边缘，在一条狭窄的引水沟里蹲伏下来。沟中几乎堵满了树叶和其他垃圾。下面不远处是一个平坦的巢穴顶，稍远处是一条很窄的雷鬼路。

“那是另一个怪兽的巢穴吗？”榛尾问道。

金戈点了点头。“我们必须从这里下到地面上了。”她说道，“因为我们必须穿过那条雷鬼路。不过我认为，我们现在已经安全了。那些疯狗通常不会跑这么远。”

冬青叶走到雷鬼路旁边的草地上时，嗅了嗅空气，闻到了几只狗的混合气味，但都不在附近。金戈停下脚步倾听，没发现怪兽的声音，也没有怪兽出现，于是她摇摇尾巴，示意森林猫过去。

穿过雷鬼路之后，她跳到另一堵墙上。这是一堵灰色的石头墙。冬青叶顺着墙顶向前走时，看到这里的两脚兽巢穴更小，巢穴后的草地也只有窄窄的一小块。有几个两脚兽的幼崽正在一块草地上玩耍，但猫群走过去时，他们并没有注意到。

“这里离波弟的巢穴很近了吧？”蕨毛问道，“我想，大家都又累又饿了。”

冬青叶低声附和着，她身上的每一块肌肉都在痛，并感觉肚子像一个巨大的空洞。天空被云团遮住了，但她感觉早已过了正午。自从昨晚在那个废弃的两脚兽巢穴里享用猎物之后，他们就再也没有吃过什么了。

“不远了。”金戈回答说，“我们可以——”

她的话立即被打断了。一阵狂风从他们身上刮过，天上噼里

啪啦地下起冰雨来。桦落惊恐地大叫一声。冬青叶贴近墙顶伏下身子，生怕风会把她刮下去。

"走这边！"金戈命令道。

她沿着墙顶，朝那道分隔两脚兽领地的栅栏跑去。墙边有一棵枝叶繁茂的松树。金戈跳到最近的一根树枝上，钻进松针里，又探出头来说道："快过来！我们需要找个地方避雨。"

森林猫被狂风吹得摇摇晃晃的，他们从墙顶上走到树边，跳进了树丛中。此刻，冬青叶的皮毛已经被雨水浸透了。她拼命往树枝中间钻，虽然松针不断扎进皮毛，但她仍然尽力抓住树枝，往更高处爬去。

"她把我们当成什么了？松鼠吗？"狮焰喘息着奋力向上爬，沉重的身体将树枝压得直摇晃。突然，冬青叶觉得整棵树都旋转起来，于是急忙将爪子狠狠地插进树枝，紧紧闭上了眼睛，直到眩晕感渐渐消失。

金戈就在冬青叶上方不远处。见此情景，她说："我还以为，你们是从森林里来的，一定没问题呢。难道你们不熟悉树吗？"

"我们不常爬树。"黑莓掌回答道。他一直待在树干下部，就在墙头上方不远处。"如果在森林里遇上大雨，我们更喜欢在树根中间，或者灌木丛中避雨。"

"嗯，你们现在每天都在学新东西呢。"金戈打趣地回答说。

暴风雨过后，冬青叶发现，日光正在逐渐减弱。但愿能在天黑之前到达波弟的巢穴。我可不想摸黑在两脚兽地盘上四处游荡。她跟在族猫身后，从树上爬了出来，并试着把皮毛上的松针

梳理掉,但满身的皮毛已经纠结在一起,乱七八糟的。我现在可能和泼皮猫没什么两样了,她沮丧地想,看上去不像是族群猫了。

然后,一种更深沉的剧痛袭上心头:也许我原本就是一只泼皮猫。

远征队跟在金戈身后,从更多的围墙和栅栏上,以及另外几个怪兽的巢穴顶上走过,直到暮色降临。最后,金戈终于在一堵墙的转弯处停下了脚步。

"看到那丛冬青树了吗?"她用尾巴指了指一条小雷鬼路的旁边,黑乎乎的灌木丛正从一道栅栏顶上探出头来。"波弟的巢穴就在那后面。"

"谢谢你,金戈。"黑莓掌感激地说道,"如果没有你,我们永远都找不到这里。"

"不用谢。"母猫摇了摇尾巴,"你们可以在波弟那儿捕猎和过夜。"她又严肃地补充说,"但一定要当心,日神有办法让任何一只猫相信他的话。我深有体会,因为我也相信过他,相信到离开两脚兽的程度,其实我那时还是很开心的。"她的眼睛在越来越浓的夜色中悲伤地闪动着。

"那你为什么不回到两脚兽身边去呢?"桦落问道。

"因为其他猫需要我。"金戈回答说,"每只猫都需要首领,需要有猫可以追随,需要有猫为他们作出艰难的决定。正因为如此,我们当初才听日神的。但现在这成了我的工作。我不能离开他们。"

她的声音中透着一股寂寞。冬青叶心里为她难过得要命。在族群里，族长是根据武士守则选出来的，星族会赐予族长九条命，那是一种莫大的荣誉。而且，族长还能得到副族长、巫医和资深武士的支持。但金戈什么也没有。

虎斑母猫摇了摇身子，仿佛在摆脱这些无用的后悔。她与每只森林猫都碰了碰鼻子。"再见了。祝你们好运。"她向猫群道别，"如果再从这里路过，就来看我们。"

"一定会的。"蕨毛保证道，"再见，也祝你好运。"

其他猫——和金戈告别之后，她点了点头，转身顺着墙顶走去。

"再见了，金戈星。"黑莓掌低语道，声音很轻，那只已经踏上归途的母猫一定没有听到，"愿星族照亮你前行的道路。"

冬青叶蜷伏在冬青树丛下的黑影中，黑莓掌就在她前方。树丛边的两脚兽巢穴看上去比金戈住的那个更加荒芜。巢穴顶上有很多黑黑的洞口。

"还记得我们去山地时碰到波弟的事吗？"狮焰伏在妹妹耳边说道，"他说，他的两脚兽已经死了。"

"也许，波弟根本就不在这儿。"冬青叶猜测道。她不知道该为此感到高兴还是难过。她期望再次见到那只瘦骨嶙峋的老猫，但又害怕找到日神之后可能发生的一切。

"只有一种办法可以查明真相。"黑莓掌说道，然后便领头朝两脚兽巢穴周围散乱的灌木丛走去。冬青叶闻到了一股浓烈的

老鼠味,爪子顿时痒了起来。

"附近有猎物!"凭声音就能听出,榛尾已经饥肠辘辘了,"黑莓掌,我们可以去捕猎吗?"

副族长犹豫了片刻,说道:"可以。但动作要快,并且不能离开这块两脚兽的领地。"

远征队在灌木丛中四散开来。冬青叶很快就瞄准了一只正在枯叶中疾跑的老鼠,一掌便打死了它。"感谢星族。"她狼吞虎咽地吃第一口美食时,还不忘嘟哝着说出这句感恩的话来。她好像已经一个月没吃东西了。刚把猎物完全吞下去,她便听到了黑莓掌的集合召唤。在灌木中潜行时,另一只老鼠居然跑到了她的脚掌之间。她轻易地将其按住,咬断了它的喉咙,随即叼着刚咽气的猎物回到了族猫面前。

其他猫都在等她。狮焰正在吞食最后一块猎物。桦落用舌头在下巴周围舔了一圈,一副心满意足的样子。

"都吃饱了吗?"黑莓掌问道,"冬青叶,你还要吃那只老鼠吗?"

她摇了摇头。"我已经吃过了。"她叼着老鼠解释说,"我觉得,可以把这只猎物送给波弟。"

黑莓掌赞许地点了点头:"好主意。那我们走吧。"

他小心翼翼地朝两脚兽巢穴走去,每走几步就停下来听听动静,嗅嗅气味。其他猫跟在他身后。最后,他们终于走进了那个敞开的黑洞中。刚踏进洞口,冬青叶就立即颤抖起来。洞里甚至比洞外还要冷,一股寒气正从潮湿的石头地面上冒出来。墙上的

裂口中长满了黑莓藤,仿佛外面的领地正在侵入巢穴。空气中有一股霉味,混合着猎物、腐叶和霉菌的臭味。但也有猫的气味,而且比其他气味更浓烈、更新鲜。

"波弟?"黑莓掌大喊道。

但没有猫回答。副族长继续向前走,远征队紧跟在他身后。冬青叶身上的每根毛都刺痛起来。这地方有点儿奇怪,让她不寒而栗,她感到空气中似乎弥漫着一股敌意。

然后,一个新的声音在他们身后响起:"你们是在找我吗?"

WARRIORS 猫武士

第十四章

冬青叶旋即转过身。在她身后,暮色中的拱形入口处,一只猫的轮廓显现了出来。他身形高大,肌肉结实,皮毛上的白色斑点闪着亮光。

"日神!"榛尾失声叫道,听上去既惊讶又恐惧。

看来,她真的认为凶手就是日神!冬青叶心想。

她很清楚,身边的猫都已经竖起毛发,绷紧四肢。但是,一看到日神那双琥珀色的眼睛,她就立即觉得自己放松了下来。她不可能忘记,他是那么的英明、那么的镇定,并且对未来充满信心。什么事都不能让他烦恼,因为,他早就知道会发生什么。

"你好,日神。"黑莓掌走上前去,"我们正在找你。你得和我们一起回雷族去。"

日神——凝视着每只猫的眼睛,镇定地说道:"我知道出事了。"

冬青叶突然心头一震,仿佛被石头击中一般。他对蜡毛的事情了解多少呢?

"我们只是需要你跟我们回去。"黑莓掌说道,"火星想和你

谈谈。"

日神眯起了眼睛。"我知道出事了，你们认为与我有关。是坏事。你们跑这么远肯定不是来谢我的。"他若有所思地停顿了一下，"有只猫死了……"

冬青叶身后的桦落屏住了呼吸。

"不对。"日神纠正了自己刚才的话，"是有只猫被杀了。你们认为是我干的。"他的尾巴尖颤动起来，但没有流露出任何其他的表情。

如果有猫指控我，我一定会害怕的，冬青叶一面这样想，一面用爪子抓挠着脚掌下冷冰冰的石头，但日神只是镇静地扫了远征队一眼，等着他们再次开口说话。

"一定是他干的！"榛尾悄悄地对冬青叶说道，"他甚至不问是谁死了！"

"日神? 是你吗? "一个虚弱的声音打破了寂静。波弟出现在入口处，拖着一只骨瘦如柴的兔子。他比冬青叶上次看到他时更瘦了，虎斑皮毛也乱得一塌糊涂。

"看我抓到了什么！"波弟扔下猎物，抬起头来，一眼就看到了森林猫。他惊愕地眨动着眼睛，一副不相信的表情。"那不是黑莓掌吗? "他惊叫道，"还有冬青爪和狮爪！但愿你们这两个孩子没有调皮。"

"没有，我们表现得很好。"狮焰回答道，并走过去摩挲老独行猫的鼻子，"我们现在是武士了，应该叫我们狮焰和冬青叶。"

"哎呀，谁能想到啊? "波弟的眼中放着光，"干得好，孩子

一定是他干的!

日神? 是你吗?

那不是黑莓掌吗?
还有冬青爪和狮爪!

但愿你们这两个孩子没有调皮。

我们现在是武士了,
应该叫我们狮焰和冬青叶。

哎呀, 谁能想到啊?
干得好, 孩子们。

们。"

一时间，冬青叶感觉自己又像是一名学徒了。波弟仍然把她和哥哥当成调皮捣蛋的小猫来看，她本应感到受辱的。可是现在她丝毫没有生气，相反，她渴望回到从前的日子，一切都那么简单，她所要做的，只是让自己成为最优秀的武士。

"你们那个弟弟怎么样了呀？"波弟问道。

"他现在叫松鸦羽，是正式的巫医了。"冬青叶回答说。

波弟又摇了摇头。"天哪，这谁又能想到啊？"他重复道。

黑莓掌走上前，向老泼皮猫点了点头："你好，波弟。我们又见面了，这真是太好了。过来见见我的其他族猫吧。这是桦落，这是榛尾和蕨毛。"

"很高兴认识你们。"波弟嘟哝道，面对着这么多只陌生猫，他看上去好像有点儿尴尬。

"对不起，波弟。"日神走上前来，站在老猫面前，"我得走了。"

波弟惊讶地眨了眨眼睛："你要走了？为什么啊？"但日神没有回答，于是他又补充说："我知道，你刚到这里没几天，但我想我们会相处得很好的。有你在，这个旧巢穴也没那么空荡荡的了。你瞧——"他用尾巴指着拖进来的那只兔子，"我还给我们找到了猎物。虽然它有点老，还很瘦，但我们肯定能饱餐一顿的……"他的声音越来越小，肩膀也开始抽搐了起来。

"波弟，兔子只能你自己享用了。"日神柔声说道，琥珀色的眼睛里闪动着泪光，"我想，这些雷族猫想让我马上动身。"

"这么急干吗？"波弟转向黑莓掌，"为什么要让日神马上就走呢？你们都在这儿多住一阵子吧？这里非常欢迎你们。"

让日神留在这儿吧。冬青叶很想把这些话大声地说出来。我们不需要带他回去。波弟比我们更需要他。但是她知道，她不能这样做。

"我们可以在这儿住一夜。"黑莓掌决定道，"但天亮时必须离开。"

"太好啦！"波弟高兴地竖起了耳朵，"吃几口兔子肉吧。"他自豪地邀请大家。

"谢谢。"黑莓掌柔声回答说，"但我们可以自己捕食，还能补充你的新鲜猎物堆呢。"

"我给你带了只老鼠来。"冬青叶叼起先前捕获的猎物，放到波弟的脚掌旁。

老虎斑猫的眼睛更亮了："谢谢哦。"他立即蹲伏下去，尽情地吃了起来。

紧接着，族群猫向两脚兽巢穴入口处走去。蕨毛回头看了看日神，他还站在巢穴中央。

"别担心。"日神说道，"你们回来时，我会在这里的。"

蕨毛看上去仍然不放心。族猫走出入口后，黑莓掌走到他身旁，伏在他耳边说道："留在这里守着，但不能让他发现。"

蕨毛点了点头，让副族长放心。然后，他爬到旁边一丛低矮的灌木中，蹲伏下来，目光锁定在两脚兽巢穴上。

他们刚才在巢穴里面时，天就已经黑了。两脚兽巢穴里发出

的刺眼的橙红色光芒射向天空,掩盖了星光。冬青叶真希望此时能看到武士祖灵,以确定他们还在看顾着她。

一走到外面,她就向先前捕到老鼠的那片绿叶灌木丛走去。榛尾走在她旁边。

"终于找到日神了。我真高兴。"榛尾低声说道,"现在,我们总算可以回家了。"

冬青叶点了点头。"其实,要把日神从波弟身边带走,我感觉很难受。"她坦白道。

"但日神是凶手啊!"榛尾停下脚步,惊愕地睁大了眼睛,"万一他把波弟也杀了呢?"

"不会的。"冬青叶回答道。

"你怎么知道啊?"榛尾坚持说道,"我们需要尽快把他带回营地,以免他造成更多的伤害。火星知道该怎样处理他。"

冬青叶无助地摇了摇头。她无法回答榛尾的问题。是的,如果日神不和他们一起回到雷族,那么追查杀死蜡毛的凶手一事该如何了结呢?火星会被迫更严密地在族群里追查凶手吗?一想到族里的指控满天飞的情形,冬青叶就觉得心里发凉。

她钻进灌木丛中,但这次,猎物没有轻易地跑到她的爪子下。最后结束狩猎时,她只抓到一只鼩鼱。她表情尴尬地叼着它回到了波弟的巢穴中。不过,远征队其他成员的收获也不丰富。

他们蜷伏下来吃东西时,波弟承认道:"这周围的猎物十分稀少,但我能为我和日神找到足够的猎物度过秃叶季。我还从来没饿过肚子呢!"

　　猎物这么少，他还愿意与陌生猫分享，一定是因为太寂寞了。冬青叶难过地吞咽着自己那只小得可怜的鼩鼱。

　　吃完之后，她准备安顿下来睡上一觉。石头地面冰冷潮湿，风从墙上的裂口中呼呼地吹了进来。她蜷缩在狮焰身边，想得到一点儿温暖。她开始强烈地思念雷族巢穴里厚厚的苔藓和蕨叶，以及遮在巢穴口的树枝条。

　　冬青叶断断续续地不知睡了多长时间。醒来时，她看到秃叶季的冰冷曙光已经斜照在地面上了。黑莓掌和蕨毛已经起来了。榛尾和桦落还在昏睡，并不停地翻身。波弟睡在对面角落里一堆乱七八糟的东西上。

　　日神则蜷缩在一个壁龛里，旁边有几块从墙上落下的石头。黑莓掌走过去，并把他推醒。

　　"该动身了。"他提醒道。

　　日神抬起头，眨了眨琥珀色的眼睛，然后站了起来："好吧，我们走吧。"

　　"他令我毛骨悚然。"一个声音在冬青叶耳边低语道。

　　冬青叶顿时一惊，转身看到了桦落。"别这样鬼鬼祟祟的！"她喝道。其实，她对自己也很恼火，因为日神也让她感到非常害怕。"他只是只猫而已嘛。"

　　话音刚落，日神就从她身边经过，向出口走去。"我告诉过你，我会回来的。"他低声说道，但声音很小，只有她听见了。

　　冬青叶竭力摆脱心中不安的感觉，把狮焰叫醒了。波弟被他

们的声音吵醒,睡眼惺忪地绊倒在了昨晚吃剩的兔子上。"你们得吃点儿东西再走啊。"他说道。

"但你比我们更需要它。"蕨毛对他的提议表示反对。

"我可以再去抓的。"波弟不高兴地说道,脖子上的毛直立起来,"如果你们要走远路,就需要保持体力。"

雷族猫互相交换着神色。如果他们拒绝,波弟一定会很不开心的。因此,他们围着最后那块猎物,强迫自己吃了几小口。波弟看着他们,日神则坐在出口处等待着,眼睛定定地看着天空。

"当心哦,千万别靠近那些怪兽。"波弟告诫他们,"它们能在眨眼之间将你踩扁。有时,还有狗来捣乱。它们不惹我,但你们这些年轻的……"

"波弟,我们已经遭遇过那些狗了。"榛尾告诉他,"你说得没错,它们的确很危险。我们一定会当心的。"

老虎斑公猫舔了舔胸脯,仿佛很开心能帮上族群猫。冬青叶却觉得,每一口猎物都味同嚼蜡。她真希望能做点儿什么,好让波弟不被孤零零地留在这里。

所有猫都吃完之后,冬青叶开始向波弟告别。老猫仍在强颜欢笑,但冬青叶能看出他眼中的失落和寂寞。他们俩轻轻地摩挲着鼻子。"愿星族与你同在,波弟。"她低语道,"希望我们还能再见面。"

"也许会的。"但冬青叶能听出,波弟并不这样认为,"你们一定要当心,听见了吗?"

然后,黑莓掌领头向出口走去。族猫们走进花园时,日神站

了起来,跟在副族长身边向前走去。这时,太阳已经升起,天空中呈现出秃叶季特有的清澈的淡蓝色。微风把灌木上的树叶吹得沙沙作响。

走到离栅栏还有一半距离的时候,黑莓掌停下脚步,回头看着波弟。波弟仍站在墙上的一道裂口后面目送大家。

"跟我们走吧,波弟。"他急切地说道,"你可以住在长老巢穴里。火星会欢迎你的。"

波弟凝视着他:"嗯,我……我不知道该怎样说才好。"

尽管冬青叶非常同情老猫,但她仍然不赞同这个提议。这不行!波弟不是族群猫!如果他也去了雷族,那么,其他族群会怎么说呢? 然后,她努力抑制住一阵颤抖。我可能也不是族群猫。难道这意味着,我也应该独自生活,没有任何朋友帮我狩猎吗?

日神面无表情地在一旁观看。他真的关心波弟吗?冬青叶很想知道。

"怎么样,走吧? "黑莓掌催促老猫。

"不,我在这儿不会有事的。"波弟抖了抖凌乱的皮毛,"你们没必要为我难过。我已经独自度过许多个秃叶季了。"

"你知道吗? 我们很希望你能带我们走出这个两脚兽地盘。"蕨毛向波弟走了过去,"你比我们更熟悉这块地方。"

"而且,一回到营地,你就可以教我们的学徒。你有很多东西可以教给他们哦。"黑莓掌插话道,"我想,冬青叶和狮焰都还记得,你是怎样把他们从狗嘴里救出来的。"

狮焰立即点了点头。而冬青叶一想起去山地的途中,他们是

WARRIORS
猫武士

怎样被那些狗困在谷仓里时,就感觉不寒而栗。如果不是波弟急中生智,她和狮焰以及风爪早就成为狗食了。

"长老能对族群的管理方式产生很大的影响。"黑莓掌继续说道,"你能与我们一起生活,是雷族的荣幸。你阅历丰富,对两脚兽——我是说那些直立行走的家伙——非常了解。"

冬青叶将爪子深深地插进泥土里。她知道,两名资深武士说的并不是实话。把一只泼皮猫带回族群不是件简单的事,族猫也并不需要懂得怎样在两脚兽中间生活,因为湖边的两脚兽很少。如果波弟愿意留在这儿,为什么不让他留下呢?为什么族猫总是认为,自己最明事理呢?

"嗯,好吧。"波弟从裂口中爬出来,加入到远征队中,"至少,我可以陪你们走出两脚兽地盘。估计你们也需要我带路。"他又转向日神补充道,"我一直没给你讲完那只狐狸的故事呢……"

黑莓掌带领猫群走到昨晚经过的栅栏缺口前,停下了脚步。他抬起头,竖起耳朵,嗅闻着空气。远征队的其他成员默默地等待着。冬青叶闭上眼睛,集中注意力,慢慢感觉到了脚掌上的牵引力,想家的本能为她指明了湖水的方向。

"你知道走哪条路了吗?"榛尾焦急地问道,显然不相信自己内心的向导。

黑莓掌点点头:"我想是的。我正在回忆,我们在巢穴顶上看到的景物。"

"我可不会再上那里去了!"桦落哀号道。

"不,没必要了。"黑莓掌安慰他,"但我们很快就可以选一只

172

猫爬到树上去,看看我们是否走错了路。走吧。"

冬青叶紧跟在副族长身后,从栅栏缺口处挤过去,发现自己已经来到了雷鬼路旁的草地上。他们昨晚就是从这条路过来的,当时到处都黑乎乎、静悄悄的。现在,怪兽在路上冲来冲去,它们鲜艳的颜色晃得冬青叶都睁不开眼。空气中弥漫着怪兽的吼叫声,以及刺鼻的臭味。

"真讨厌。"她悄悄地对狮焰说道,"无论我们过了多少次雷鬼路,我仍然害怕有猫会被踩扁。"

黑莓掌走到雷鬼路边缘,直到皮毛被过往的怪兽吹得东倒西歪。"我说跑,你们就拼命地跑过去,就像身后有一大群狗追上来了那样。"

狮焰叹息了一声:"好吧,我们已经练过很多次了。"

冬青叶注意到,蕨毛已经站到了波弟旁边,仿佛打算跑的时候照顾他。日神站在波弟的另一边,眼睛紧盯着雷鬼路。

这时,一头巨大的怪兽一晃而过,肚子里发出的隆隆声比全族群同时号叫的声音还要大。等那声音消失之后,黑莓掌警觉地向路两旁看了几次,然后命令道:"跑!"

冬青叶向前一跃,心里知道狮焰在她的一旁,桦落在她的另一旁。雷鬼路比她翻飞的脚掌还要硬。很快,她就穿了过去,舒心地倒在了草地上。

她转过身,看到所有的猫都安全通过了,只有波弟还慢条斯理地走在雷鬼路中央,蕨毛在旁边催促着。

"孩子们,别担心。"波弟说道,"没有怪兽了。"

"但——"蕨毛近乎绝望地说道。

他的话被怪兽迫近的声音打断了。随着一声怒吼,一只怪兽从转弯处冲了过来。蕨毛用力地推了波弟一把。老虎斑猫惊叫着踉跄几步,安全地扑倒在草地上。怪兽从他身后不到一只老鼠身长的地方呼啸而过。蕨毛在千钧一发之际安全地跳到了他旁边。

"波弟,千万别再这样吓我们了!"黑莓掌恼怒地说道。

老猫从地上爬起来,眨了眨眼睛。"什么呀?根本没问题嘛。"然后,他又用很受伤的语气对蕨毛补充道,"你根本没必要推我。"

蕨毛叹了口气:"对不起。"

"你们这些孩子,总是那么惊慌。"波弟嘀咕道。

冬青叶转了转眼珠。"这一路肯定会有趣极了。"她悄悄地对狮焰说道。

黑莓掌甩甩尾巴,示意远征队集合。猫群再次出发,顺着雷鬼路边缘前进。很快,冬青叶就听到了很多小两脚兽的声音,在早晨清爽的空气中显得格外刺耳。"那是什么啊?"她的脚掌怀疑地刺痛起来。

"没什么可担心的。"波弟安慰她,"你马上就会知道了。"

冬青叶不确定,是否该相信老猫的判断力。走过下一个转弯处之后,她看到了一个巨大的两脚兽巢穴。巢穴四周是宽阔的石头地,一道由细长闪亮的树木搭成的栅栏,将它与雷鬼路隔开。成群的小两脚兽——比她任何一次见到的两脚兽都多——正跑来跑去,他们一边叫喊,一边互相投掷奇怪的东西。

"这是什么地方啊?"她好奇地问道。

波弟耸了耸肩:"我也不知道。小两脚兽们大多数时间都来这里。"

冬青叶的肚子收紧了,因为她看到老猫向栅栏小跑过去,并把鼻子伸进了一个豁口中。几只小两脚兽立即伸着前爪向他跑来。

"他在干什么啊?"蕨毛嘟哝道,"嘿,波弟!"

波弟没有理会他。小两脚兽正从栅栏中伸出前爪来摸他。远征队的其他成员正站在不远处,都听见波弟发出了很大的喉音。

"别忘了,他过去是只宠物猫。"桦落低声说道,"他的行为一定很奇怪。"

黑莓掌没说什么,只是抽了抽尾巴,然后带领猫群从闪亮的栅栏旁经过,走到安全距离之外,耐心等待着雷鬼路那头不远处的波弟。他们走过栅栏时,冬青叶注意到,一只小两脚兽从皮毛中拿出了什么东西,伸到波弟面前。波弟热切地伸出舌头去舔食。

难道他没有理智吗?

终于,两脚兽巢穴里传出了刺耳的丁当声。所有的小两脚兽都向它跑去。他们排成一列,从入口走了进去。波弟转身走开,蹦跳着向远征队走了过来。

"你们在看什么啊?"他喘息着问道。

"波弟,你刚才那样做好吗?"黑莓掌问道。冬青叶可以听出,他在竭力抑制声音里的愤怒。"那个幼崽给你喂了什么?"

"不知道。"波弟的眼睛直放光,并伸出舌头在下巴上舔了一圈,"不过,的确很好吃哦。"

黑莓掌叹息了一声:"好了,我们走吧。"

前方不远处,两脚兽巢穴变得稀疏起来,最后便突然消失了。雷鬼路的两旁被林地所取代。当黑莓掌带领大家离开雷鬼路,走到树下时,冬青叶顿时感到一阵轻松。但他们刚在树林里走了几步,黑莓掌便停下了脚步。

"这里是确认方向的好地方。谁想爬树呢?"

"我!"狮焰立即自告奋勇。

"不,让我来爬!"榛尾说道,"我体重更轻,可以爬得更高一些。"

黑莓掌点了点头:"好吧,榛尾。"

狮焰看上去很是不爽。榛尾纵身一跃,跳到了最近一棵树的树干上,并将爪子插进了树皮中。冬青叶看着朋友在光秃秃的树枝间攀登,心跳得咚咚直响。榛尾越爬越高,一直爬到了树顶,然后紧贴在那里,身体在风中不停地摇动。冬青叶不禁想起炭心是怎样从森林里的树上摔下来,把腿给摔伤的。

我们还有那么远的路要走,万一榛尾受伤的话,该怎么办呢?

但是,没过一会儿,榛尾就开始返回了。很快,她就爬到了最低的树枝上,跳落到族猫旁边。

"我看得可远啦!"她感叹道。

"我们没走错路吧?"黑莓掌问道。

　　"没有。"榛尾兴奋地抖松皮毛，"我没看到湖，但能确定它的位置，就在风族山脊的后面。"她又用尾巴指指树林："我们走这条路，就可以到达那里，而且不用再穿过两脚兽地盘。"

　　"这真是个好消息。"黑莓掌赞许地对年轻武士点点头，"干得好，榛尾。"

　　榛尾的眼睛自豪地闪亮起来。远征队再次出发。现在，路更宽了，冬青叶注意到，蕨毛和桦落正走在日神的两旁。

　　泼皮猫看看他们两个，琥珀色的眼睛里闪动着打趣的神情。"你们没必要把我看得这么紧。"他说，"我不会跑掉的。"

　　波弟停下脚步，困惑地看着日神："看得这么紧？这是什么意思啊？"

　　黑莓掌被迫停下脚步，回过头来，胡须愤怒地颤动着："没什么。我们必须加快速度了。"

　　日神没有理会黑莓掌，而是对波弟说道："雷族认为我做了不该做的事，所以，要我跟他们回去。"

　　"什么？"波弟立即目瞪口呆，"真是些鼠脑袋！"他又转向黑莓掌补充说："你知道吗？你弄错了。日神是只正派的猫，不会做任何坏事的。"

　　黑莓掌不想解释。他只是摆摆尾巴，示意远征队继续前进。他们的行动似乎惊扰了一只野鸡，它立即发出了沙哑的惊恐叫声，慌乱地从一丛凤尾蕨中飞了出来。几乎与此同时，一只松鼠从蕨丛中冲出来，向最近的树木跑去，显然是受到了野鸡的惊吓。冬青叶迅速跳上前去，一掌将它打落下来。

"漂亮！"桦落喊道。

全体远征队员围拢过来，分享这意想不到的猎物。波弟的尴尬问题被大家抛到了脑后。但他还会问的，冬青叶知道，那么，谁来告诉他真相呢？

远征队继续穿越森林。但午后不久，冬青叶就注意到波弟累了。他步履蹒跚，在凤尾蕨和黑莓丛中跌跌撞撞地前进。冬青叶走在他旁边，想用尾巴给他指示该走的路线，但他显然无力坚持走到天黑了。

冬青叶疾走几步，追上了黑莓掌："波弟太累了。我们该怎么办呢？"

黑莓掌回头看了看。"老鼠屎！我们不能把他扔在这儿。"显然，副族长已经开始后悔邀请这只老猫与他们同行了。"好吧，我们很快就会停下来的。"他决定道，"在这之前，冬青叶，你尽力帮帮他吧。"

"没问题。"冬青叶等着波弟摇摇晃晃地追上她，再次陪着他慢慢地向前走。"你想靠在我肩膀上吗？"她好心地说道。

波弟却对她怒目而视："你认为我不能照顾自己吗？自以为是的小家伙！"

"对不起！"冬青叶猜想，他之所以生气，是因为他知道自己需要帮忙，但自尊心又让他不愿接受其他猫的帮助。她只好故意落后几步，以便随时关照他。直到黑莓掌让猫群停止前进时，她才舒了一口气。

狮焰抬起头来，看到太阳还没落山，便马上问道："这么快就

停下来呀？天黑前，我们还可以走很远呢。"

"我知道。"黑莓掌看了波弟一眼，"但是，我们在两脚兽地盘上时都很辛苦，而且现在也需要捕猎和休息了。这里的猎物应该很多哦。"

黑莓掌选择的休息地方，是巨大橡树林间的一块小空地，地面上覆盖着橡树的枯叶。空地一边，长满苔藓的石头缝里有一条很小的溪流，汇进了一个小水坑里。波弟跌跌撞撞地走过去，舔了几口水，然后砰的一声瘫倒在地，片刻之后，便发出响亮的鼾声。

夕阳将团团光柱投射到地面上，日神走过去，坐到一团光柱中，尾巴绕过前脚掌，琥珀色的眼睛在金色的阳光下忽闪着。他显然无意去给自己捕猎。

冬青叶走到灌木丛中。猎物的气味很强烈，她很快就捕到了一只老鼠和一只画眉。也许这么早就歇下来不是件坏事，她一面想，一面踢了些泥土将猎物盖上。现在，天气更暖和了，猎物也更多地出来四处活动。

她又抓了一只老鼠之后，才匆忙将所有猎物叼回到空地上。结果她发现，族猫们已经在水坑边堆满了新鲜猎物。

桦落拖着一只巨大的兔子走过来，自豪地翘起了尾巴。"那边还有呢。"他用尾巴示意道，"今晚可以饱餐一顿了。"

冬青叶把一只老鼠和那只画眉放到猎物堆上，又把另一只老鼠拿到波弟身边，将他推醒。

老虎斑猫惊叫了一声，警觉地四处张望："怎么了？有狐狸？

我去对付它们！"

"没事的，波弟。"冬青叶把尾巴放在他的肩膀上，"我给你拿了只老鼠来。"

波弟眨眨眼睛说道："你真是太好了。"他狼吞虎咽起来，很快就把大半只老鼠吃了下去，然后，他才停下来，不好意思地后退了一步，"来，你也吃点儿吧。"

"不用，这是给你的。那边还有很多呢。"冬青叶说道。她心想，波弟多久没吃过像样的猎物了？

所有的猫都吃完以后——黑莓掌坚持给日神也分了一份——他们才在树林中安顿了下来。此时，太阳已经落山了，暮色渐渐降临，寒冷的微风吹动着光秃秃的树枝。

冬青叶注意到，波弟正全身发抖。她用尾巴招呼榛尾过来。"波弟真的无法照顾自己了。"她蜷伏在族猫耳边说道，"我们分别睡在他的两侧吧，好给他一点儿温暖。"

"好的。"榛尾答应着，不过，她看上去却有些迟疑，"但愿他身上没有跳蚤。"

冬青叶和榛尾用爪子把一堆干树叶刨到一起，做成了一个窝。她一面刨，心里一面想：我相信他身上一定有跳蚤，还有虱子。到达营地后，我们必须先用老鼠胆汁给他好好地清理一下，然后才能让他靠近鼠毛！

冬青叶醒来时，天还没有亮，星光依旧在头顶闪烁。她只能看到天空映衬下那光秃秃的树枝。波弟鼾声如雷，榛尾蜷缩在他

旁边，尾巴捂在耳朵上。

冬青叶知道，她不可能重新睡着了。于是，她小心翼翼地站起来，生怕惊醒其他猫。她眨眨眼睛，驱赶最后一丝睡意，然后悄悄地向四周看去。黑莓掌、蕨毛和桦落都在水坑边做了窝，彼此靠得很近。现在，他们三个都还睡得很香。桦落的尾巴颤动了一下，好像正在做梦。

是三只猫……而不是四只……天啊，日神不见了！冬青叶急忙扫视空地，但并没看到那与众不同的玳瑁色和白色相间的皮毛。她嗅嗅空气，闻出了他的气味，仍然新鲜，但很微弱。

冬青叶的第一个反应就是叫醒黑莓掌。但不知怎么回事，她内心的某种意识却让她向另一个方向走去——循着日神的微弱气味向前走。她尽可能放轻脚步，从树林中穿过。脚掌踩到易碎的树叶上时，她都会心惊得身子一缩。很快，她就听到了流水的声音，而且声音越来越大。现在，她已经来到一个树木较为稀疏的地方，这里的地面是倾斜的，一条小溪在石头上汩汩地流动。日神正坐在斜坡顶上，背对着她，仰头凝视着渐渐隐去的星辰。

"冬青叶，你还认为他们什么都知道吗？"他问道，但没转过头来。

冬青叶身上的每根毛都竖立起来。她这才意识到，自己正站在逆风处，日神一定闻出了她的气味。"我……我不知道。"她回答说，"我现在什么都不知道了。"

日神转过身来面对着她，琥珀色的眼睛同情地闪动着："为什么这么说？"

冬青叶叹息了一声。"过去,什么都很单纯,我可以相信其他猫说的话。"尽管她嘴上这样说,心里却不相信,自己竟然会把这些话告诉别的猫。她甚至没向哥哥弟弟透露过自己内心的怀疑。

"你必须学会相信自己,冬青叶。"日神说道,他的声音深沉、浑厚,仿佛能激发每一只猫体内的自信,"只有你自己才知道,什么是正确的。"

"有时,我真的很迷惑。"冬青叶的声音在颤抖,"我不习惯自己去决定每件事情。"

"慢慢地就会容易了,孩子。"日神站了起来,"走吧,我们回去。"

冬青叶跟在日神身后向空地走去。一路上,她不停地在想,日神几乎毁了影族!每只猫都认为,蜡毛是他杀的!但我为什么却感到,可以把性命托付给他呢?

他们走回空地时,远征队的其他成员已经起来了。黑莓掌正在梳理皮毛。他抬起头来,琥珀色的眼睛里明显闪烁着惊讶的神色。但他只是说:"我正在想你们去哪里了呢。"说着,他走过去开始检查波弟的情况。

老虎斑猫从窝中爬起来,抖落背上的枯叶,固执地说:"我和松鼠一样健康哦。你们这些小东西没必要大惊小怪的。"

猫群将头天晚上剩下的猎物吃完之后,便再次上路。从先前与日神对话的地方经过时,冬青叶意识到,他们已经走到了树林边缘。很快,众猫便站在树下,眺望着片片牧场,只见灰白色的动物点缀其间。冬青叶知道那是绵羊。

他们从牧场经过时，波弟怀疑地瞥了羊群一眼，说道："我不喜欢这里。快看，那些家伙是什么啊？"

"波弟，那是绵羊。"冬青叶走到他身旁，回答说，"我们上次遇到你的那个农场里没有绵羊吗？"

波弟抽抽鼻子。"我从没见过这些家伙。"这时，一只绵羊从羊群身边缓缓离开，向猫群这边走来。他急忙跳起来，顿时毛发直立，大声喊道："快跑啊！"

"没事的。"冬青叶说道。紧接着，绵羊停下脚步，埋头吃着青草。"它们根本没注意到我们。"

"这里的空间太……太大了。"波弟伸开四肢趴在地上，抱怨道，"没有树，没有直立行走的家伙——哦，你们叫他两脚兽。"

"你的意思是说，你需要两脚兽？"冬青叶感觉愤怒像树叶上的雨水般洒落到身上，"如果你要在雷族生活，这可不行。"

"嘿，别担心。"狮焰走过来，用尾巴拍了拍波弟的肩膀，"波弟巴不得成为族群猫呢。"

我们也是！冬青叶差点儿用这些话回敬哥哥，但她及时控制住了自己。什么时候，我们当中才会有猫把秘密说出来呢？

她好不容易才让自己放松下来："我知道。对不起，波弟。"

她可以看出，老猫又开始疲倦了。不一会儿，黑莓掌就让大家在一个由某种树搭成的遮蔽处歇息。遮蔽处周围散布着大片的荆豆灌木。波弟侧身倒在地上，吃力地喘着气。日神走开几步，坐了下来，定定地凝视着牧场。

"嘿，看这个！"榛尾正在嗅闻什么东西，看上去像是蓟的冠

毛,正粘在一棵荆豆灌木上,"这是什么呀?"

冬青叶走了过去。桦落也好奇地跟过去了。"闻上去有股绵羊的气味。"冬青叶说道。她看看四周,在其他灌木上发现了更多毛团。"如果它们从这里经过,毛可能被刺挂掉。"

"很软。"榛尾用牙齿扯下毛团,叼着它从树边走开了,"我要带一些回育婴室去。"

桦落强忍住笑声:"你看上去好像刚吞了棵蓟哦!"榛尾用尾巴向他打去,他弯腰躲过,急忙补充道:"不过,这的确是个好主意。我也要带些回去,给我的幼崽。"

冬青叶让他们从那些灌木上扯下毛团,自己则走回到波弟身边。老猫慢慢地恢复了力气,看上去也更加镇静,因为绵羊已经在安全距离之外了。

"我们有时间捕猎吗?"她问黑莓掌。

副族长惊讶地抽动着耳朵:"你已经饿了吗?"

"没有。"冬青叶低声作答,"我只是想捕一只老鼠,取出老鼠胆汁——如果波弟把他身上的跳蚤和虱子带进营地,一定会造成害虫大泛滥的。"她抬起一只后爪挠挠腹部,补充说道:"我想,我可能已经被他传染了。"

"好吧。"黑莓掌的眼睛诙谐地闪烁着,"但要快去快回,我还想继续赶路呢。现在,离湖边已经不远了,我的脚掌都能感觉出来。"

远征队把牧场甩在身后,来到了一条小雷鬼路边上。暮色降

临,冬青叶嗅了嗅空气,闻出了马的气味。"马场!"她惊喜地喊道,"我们快到家啦!"

黑莓掌在前方带路,众猫钻过闪亮的栅栏,走过那块略带白色的宽阔石头地面,又从两脚兽巢穴和马棚旁边走过。走进牧场之后,冬青叶环顾四周,寻找马的踪影,但并没有看到。"它们一定被关在木头巢穴里了。"她悄悄地对狮焰说。

她也没看见小灰和丝儿,但闻到了他们的气味。现在,她有些迫不及待了,脚掌也已经刺痛起来。她想尽快回到温暖熟悉的石头山谷之中。但她知道,那里也不再安全了。

或者,还有其他安全的地方吗? 她难过地想,哪里才不会有这些谎言和背叛呢?

第十五章

松鸦羽把一团狗舌草放在白翅面前。白翅用喉音说道："谢谢啦，松鸦羽。"

育婴室里静悄悄的，气氛十分温馨。黛西和米莉带幼崽出去锻炼了，这位白色猫后正好可以安静地休息一下。

"一定要全部吃下去哦。"松鸦羽告诉她，"你很快就要产崽了，需要尽可能多的积蓄力量。"

"我知道。"白翅叹了口气，"只是希望不要等太久。我感觉肚子已经够大了！"

"你会没事的。"松鸦羽安慰她，然后与之告别，走出了育婴室。早晨的空气十分清冷，但他能感觉到，秃叶季微弱的阳光正在融化昨夜结下的寒霜。

"嗯。"他自言自语道，"如果叶池还在外面寻找蓍草……"

然后，他匆匆掀开黑莓帘，走进巫医巢穴，没有闻到老师的气味。但是，另一只猫正在巢穴里，怒气从他身上一波波地传来。

老鼠屎！松鸦羽心想，现在，我还必须花时间来应付他。

"莓鼻，"他说道，"我能为你做点儿什么吗？"

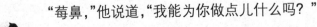

"快来看看我的尾巴。"年轻武士告诉他,"痛得要命,气味也很奇怪。"

松鸦羽闻了闻莓鼻的尾巴,差点儿被一股腐烂的气味熏倒。"你的尾巴发炎了。"他说道。

"怎么会呢?"莓鼻气愤地说道,"叶池说过,我在狐狸陷阱中把尾巴夹断之后,伤口已经痊愈了。"

"当时的确愈合了。"松鸦羽表示同意,"但你一定又弄破了伤口。你还记得最近有什么东西挂到过你的尾巴吗?"

莓鼻犹豫了一会儿,最后不得不承认:"我追逐兔子时,被卡在黑莓丛中了。"

"可能就是这个原因。"松鸦羽说道,"但你不用担心,只需要涂些金盏花药膏就行了。你等一会儿。"他马上走进存放药草的洞穴,找到金盏花,把药草叶嚼碎,然后回到莓鼻身边嘟哝道:"我来给你涂,千万别动哦。"

"我能休病假吗?"乳白色武士满怀希望地问道。

松鸦羽并没有同情他:"不能。你又不是用尾巴来巡逻和捕猎。你明天还得来,我给你涂新的药膏。"

"好吧。"莓鼻说道,"谢谢你。我现在感觉好多了。"

他走后,松鸦羽心想:好啦,现在该实施我的计划了。他回到储药洞里,叼起几片山萝卜叶、蒲公英和琉璃苣叶,向长老巢穴跑去,然后把这些药草放在了鼠毛面前。

"这里面有那种药草吗?"他急切地问道。

鼠毛烦躁地嘶鸣一声:"你指的是什么啊?"

放下药草后，松鸦羽闻到了新鲜猎物的气味。他猜想，自己一定是打扰长老进餐了。"就是你向我讲过的那种药草，叶池曾把它混到你的艾菊中。"

"哦，那个啊。"瘦骨嶙峋的长老听上去还是很不爽，"你究竟想知道什么呀？"

"只是好奇而已。"松鸦羽意识到自己刚才的确显得过于急迫。他不想让鼠毛把这件事情告诉叶池。"弄清楚总是好的，说不定哪天就能用上呢。"

鼠毛嘟哝一声，怀疑地嗅了嗅那些药草。

"我也闻闻。"长尾自告奋勇地说道，"我没吃过那东西，但可能记得那种气味。"

等两位长老都仔细嗅过之后，松鸦羽问道："怎么样啊？"

"不，不是这些。"鼠毛说道，"我认识这些药草。叶池总是用它们来治疗发烧和伤口感染。"

"她说得对。"长尾补充道，"对不起哦。"

松鸦羽很沮丧，但强忍住叹息。"也不是这种吗？"他把山萝卜叶往前推了推。

"我都说过不是了，你听不懂吗？"鼠毛咆哮一声，用尾巴重重地拍了一下松鸦羽的耳朵。

"好吧。"他把药草收集起来，"谢谢。我回头再拿一些过来。"

离开长老巢穴时，他听到鼠毛在身后喊道："还是让我们先把兔子吃完吧！"

松鸦羽回到储药洞中，打算再找些药草给鼠毛和长尾辨认。

但他刚把山萝卜叶、蒲公英和琉璃苣叶放回原来的位置，就听到叶池走进了巢穴，并带来一股浓烈的蓍草味。

"松鸦羽，你在干什么啊？"她厉声问道，"你闻上去怎么像在药草中睡了一整晚似的？"

松鸦羽结结巴巴地说道："呃……我刚才摔倒在药草中了，皮毛上粘了些粉末。"

叶池长叹一声："真的吗？你简直和幼崽差不多！但是，你为什么去翻库存药草啊？"

老师听上去既担心又害怕，松鸦羽感觉自己身上的毛都竖了起来。她为什么不想让我去翻药草？我和她一样有权利这样做！难道她在隐藏什么吗？

"我没有翻，"他不服气地说道，"而且我已经把这里打扫干净了。"

叶池嗅了嗅空气。"那就把这些蓍草拿过去放好。"她命令道，"我想去检查一下米莉的呼吸情况。她在外面和幼崽们跑来跑去的，身体肯定吃不消。"

她一走，松鸦羽就把蓍草收拾好，又悄悄地拿出一片艾菊叶和一条牛蒡根。如果这些还不是，那我就是个十足的鼠脑袋！他首先确认叶池是否还在育婴室外检查米莉，然后便匆匆向长老巢穴跑去。

"你又来了啊！"鼠毛嘀咕道，"这次拿来的是什么呀？"

她快速地嗅了嗅松鸦羽放在她面前的药草，又尝了尝艾菊叶："不是，不是它们。"

长尾走过来嗅了嗅，但也没认出那些药草。

松鸦羽叹息了一声："好吧，我们再试试看。"

"我想，你一定是脑子进水了。"鼠毛随即躺下来打盹儿。

松鸦羽正在猎物堆旁吃田鼠，突然听见火星从他身边经过，向巫医巢穴走去。他急忙吞下最后几口鼠肉，跟在他身后走了过去，然后站在黑莓帘外，想听听族长要说什么。

"叶池，我一直想问你……"火星听上去好像有些为难。

"问什么？"叶池的语气十分犀利。

"我只是想知道，你是否找到机会和星族说话了。"松鸦羽可以听出，族长竭力想让自己的声音听上去和平时一样，以显得这个问题并不重要，但他明显失败了。

松鸦羽的肚子收紧了，他不知道叶池会怎样回答。然后，他强迫自己松弛下来。如果叶池与蜡毛说过话，那么，全族的猫都将知道！

"没有！"叶池不耐烦地说，"如果星族对我说过什么，你会是第一个知道的。"

"哦，那好……谢谢了。"火星走出巢穴，在洞口停了一下，然后就走开了，根本没注意到一旁的松鸦羽。

松鸦羽很想知道叶池为什么不想和星族说话？她在害怕什么呢？

他的脚掌直痒痒的，很想到营地外面去。也许可以去湖边找到那根树枝，看看岩石会不会再和他说话。但岩石已经告诉过

他,应该在营地里寻找答案,在他自己的族群中寻找答案。星族啊,你们为什么不帮帮我呢?松鸦羽无声地问道,难道指引族群不是你们的职责吗?

　　仿佛回应他无声的祈求似的,沙风从空地上走来,在他身旁停下了脚步:"你想和我一起去森林里走走吗?"

　　松鸦羽惊讶地抽了抽耳朵:"发生什么事了吗?"

　　沙风打趣地发出一声低沉的喉音。"难道我就不能只是请你陪陪我吗?不过,你猜得很对。"她又补充道,"我需要和你谈谈,去一个不受打扰的地方。"

　　"好吧。"松鸦羽同意了,"但我必须先告诉叶池。她……嗯,她这段时间有点儿爱发脾气。"

　　"我知道。"沙风告诉他,"你等着。"她掀开了黑莓帘,松鸦羽听到她对巫医说:"叶池,我想借用松鸦羽一会儿。我们要到森林里去一下。"

　　"去吧。"叶池回答道,但听上去好像只是勉强同意似的,"让他顺便带些艾菊回来。"

　　松鸦羽兴奋得脚掌刺痛起来。他跟在沙风后面,穿过荆棘通道,顺着通向风族边界的小路往前走。他一直很尊重这只姜黄色母猫,即使是现在,他知道自己与她没有血缘关系。

　　沙风顺着雷族和风族边界的小溪慢慢地往前走,并没说多少特别有用的话。松鸦羽耐着性子听她说猎物的情况,以及风族是否会入侵边界等等,但他并不反感。他知道,沙风如果不是打定了主意,是不会找他谈话的。

最后，树木渐渐稀少，他们已经走到了高沼地上。冷风从那道通向月池的山脊上呼呼地吹下来。

"我们休息一会儿吧。"沙风建议道，说罢，便在小溪边上坐了下来。

松鸦羽走到她身边，转动着身子，直到风迎面吹到脸上。带着雪味的风把他腰上的毛吹得紧贴在身上，他尽情享受着这种感觉。

"松鸦羽，"沙风开口说道，"你有没有觉得叶池有什么问题？她最近好像显得很紧张。"

原来是为这事儿！"我也注意到了。"他小心翼翼地回答道。

"是不是绿咳症让她的压力太大了？"沙风猜测着，"或者更糟？你……你是否认为，她可能在为蜡毛的死而自责？"

松鸦羽用爪子紧紧地抓住地上的草，以便稳住身子。我可没想到她会说这事！他想告诉沙风，蜡毛的死与叶池毫无关系。他可以保证！但是，如果他肯定地把自己的意见说出来，反而会显得很愚蠢，沙风一定会提出更多的问题。如果他如实地回答那些问题，整个雷族就将在他身边崩溃！

"我不这样想。"他嘀咕道。

"也许，她觉得自己本应该预料到蜡毛的死，或者以某种方式阻止悲剧的发生。"沙风继续说道，"或者，她认为应该到星族那里去探望他，弄清事情的真相。"

松鸦羽顿时愣住了。让叶池到星族去和蜡毛谈话，是他最不希望发生的事情。蜡毛还没将真相告诉族群里的每一只猫，就已

经造成了太多的伤害。幸好,叶池也不想去找蜡毛。

这么说来,火星并没告诉沙风,他请过叶池去星族寻找蜡毛的死因。猫群之间究竟还有多少隐藏着的秘密呢?

"我想,是治疗绿咳症的工作让叶池太累了。"他说道。因为他知道,自己必须说点儿什么,才能解释老师的异常情绪。"而且,白翅在这样寒冷的季节里产崽,她也很担心。再者,每只猫都还在为蜡毛的死而伤心。"这句谎话刚出口,松鸦羽便急忙把爪子缩了起来。嗯,也许不是每只猫……

"可能你说得没错。"沙风叹了口气,"我和火星都很担心她。毕竟,她不仅仅是我们的巫医,还是我们的女儿。如果你遇到了麻烦,黑莓掌和松鼠飞的感受会与我们一样的。"

或许并不一样……松鸦羽觉得应该严肃地点点头,但又发现很难做到。他暗自希望心里的混乱没有从表情中泄露出来。

"如果发现别的什么,你会告诉我的,对吗?"沙风问道。

"当然。"当然不会!与这只姜黄色母猫回营地时,松鸦羽一直在想,下一个刺探他秘密的会是哪只猫。他知道的那些可怕的事情还能隐藏多久呢?

"孩子们,快回到育婴室里去。"黛西柔声说道,"你们该睡觉了。"

"但风族入侵了!"小玫瑰抗议道,"我要当族长,把他们都打跑!"

"你可以明天再当族长嘛。"黛西保证道。

WARRIORS
猫武士

松鸦羽听到幼崽们跌跌撞撞地回到了育婴室，他们的尖叫声也随之减弱。夜晚强劲的冷风吹动着他的皮毛。他一边舒展身体，一边向自己的巢穴走去。

他和沙风的谈话已是两天前的事了。叶池仍然情绪暴躁，松鸦羽依旧不知道原因。老师在担心着什么，这一点他可以肯定，但他不敢问她原因。

他刚走到黑莓帘前，就听到云尾大叫了一声——今晚，他在营地入口处担任守卫："黑莓掌！ 蕨毛！ 嘿，他们回来了！"

武士巢穴里响起一阵沙沙声，武士们纷纷跑了出来。几名武士从松鸦羽身边冲了过去，迎接远征队归来。松鸦羽跟着跑了过去，但中途又放慢了脚步。他试图从各种混合气味中，分辨出刚刚走入营地的猫的气味。黑莓掌走在最前头，蕨毛紧随其后。突然，松鸦羽皮毛一颤，因为他闻出了日神的气味。泼皮猫镇静地走进通道，并在入口处停留了一会儿，然后才迈步走进营地。他浑身散发着自信，根本不像是被押回来认罪的囚犯。

族群猫立即兴奋起来。

"那是日神！"

"族猫找到他了！"

"他看上去很镇静。"亮心感到迷惑不解，"如果蜡毛是他杀的，他不应该是这种表情吧？"

"我一定饶不了这只猫！"灰条吼道，"看看他都对影族做了些什么！"

"火星会怎样处置他呢？"狐爪的声音兴奋得直抖，"我想，火星应该把他的皮给扒了，拿他去喂乌鸦！"

"不。"灰条的声音比其他声音高出许多，"这不是火星的做事方式。他会先和日神谈谈，弄清真相。"

希望他不会，松鸦羽心想。

另一只猫跟在日神后面走了进来。松鸦羽对他的气味并不熟悉，但他知道，自己应该闻过这种气味。然后是榛尾，最后才是冬青叶和狮焰。松鸦羽欣喜地意识到，哥哥和姐姐已经安然无恙地回家了。

火星从松鸦羽身边走过。族群猫顿时安静下来，挤到了一起，几乎皮毛挨着皮毛。"你好，日神。"他的声音冷静而有礼貌，"谢谢你能来。"

"我会尽力帮忙的。"日神同样礼貌地回答道。

"今晚先休息吧。"火星继续说道，"一路走来，你一定累了。莓鼻，蜜蕨！"

"到！"两名年轻武士跑了过去。

"给日神做个窝，好吗？巫医巢穴和武士巢穴中间的那丛灌木后面就不错，遮蔽很好，又在悬崖下方。"

而且入口很小，易于看守，松鸦羽在心里补充道。

蜜蕨和莓鼻匆忙离开之后，火星继续说道："干得好，黑莓掌，还有你们大家。我知道，这一定很不容易。"

"比我们想象的更难。"黑莓掌承认道，"我们是在一个两脚兽地盘找到日神的，还有——"

是日神的气味。

他浑身散发着自信，
根本不像被拉回来
认罪的囚犯。

那是日神!
族猫找到他了!

他看上去很镇静。
如果蜡毛是他杀的,
他不应该是这种表情吧?

我一定饶不了这只猫!
看看他都对影族做了些什么!

我想,火星应该把他
的皮给扒了,拿他去
喂乌鸦。

不。这不是火星的
做事方式。他会和
日神谈谈,弄清真相。

希望他不会。

"还有我！"一个愤怒的声音打断了黑莓掌的话。松鸦羽立即记起，刚才他没能分辨出气味的那只猫是谁了。波弟！他来这里干什么呢？

"我想知道，你们为什么这么老远地把日神给拉过来！"老猫继续说道，"希望你们不要把他没做过的事诬陷到他身上！"

听到老猫的话，族群猫惊愕地低声议论起来。松鸦羽不知道是波弟的出现引起的，还是他对日神的坚定支持造成的。

"黑莓掌，这是谁啊？"火星问道。松鸦羽听出，他也很惊讶。

"他叫波弟。"黑莓掌回答说，"就是我提过的那只独行猫。我们第一次去太阳沉没之地时，曾碰到过他。"

"欢迎你，波弟。"松鸦羽想象着，火焰色公猫正在点头欢迎老虎斑猫进入营地，"你可以住在长老巢穴里。狐爪，你带他过去，把他介绍给鼠毛和长尾，好吗？"

"谢谢你，火星。"独行猫说道，"日神，如果有什么需要，就叫我，好吗？"说完他便跟在狐爪身后，向长老巢穴走去。

老泼皮猫离开之后，叶池走上前，把日神从头到脚嗅了一遍。"你在旅途中受过伤吗？"她问道，"腿是否感到僵硬？"

"没有。"日神的声音听上去很有趣，"我早就习惯了四处奔波。"

是的，因为没有任何猫想长期和你在一起。这些话已经溜到松鸦羽嘴边，但他不会那么不理智地把它们说出来。

"走吧，日神，我带你去休息。"蕨毛说道。

他们俩走开之后，火星把蛛足叫到身边，低声说道："你来站

第一班岗,看守日神。给他拿些新鲜猎物,然后确保他一直待在巢穴里,直到明天早晨。"

"没问题的,火星。"说完,蛛足便向猎物堆走去了。

火星走回了自己的巢穴,其他族群猫仍然聚集在营地入口附近。

"我敢肯定,他就是凶手!"罂粟霜叫道,"你看到他的眼睛了吗? 他看上去好像能直接看穿你。"

"我害怕极了,不敢睡觉。"冰爪说道,"万一他把我们杀死在窝里,那该怎么办啊? "

"就是。"鼠须补充说,"真不知道火星为什么要让他来这里。"

"火星需要查明真相。"亮心说道。

"我相信,没什么好担心的。"栗尾轻快地补充说,"蛛足会确保日神不会出洞的。"

尽管母猫们都这样说,松鸦羽的脚掌却仍然感到刺痛,浑身的皮毛也随之竖立,仿佛空地上马上就要下暴雨似的。空气中弥漫着紧张、恐惧和忐忑的气氛,仿佛每只猫都觉得,有个巨大的东西正悬在他们头顶。

松鸦羽竭力摆脱这种恐惧不安的情绪,向哥哥姐姐走了过去。此刻,冬青叶和狮焰正瘫坐在荆棘屏障旁的空地上。

"嗨! 旅途怎么样啊? "

"很漫长。"狮焰的声音很是沮丧,"我还以为,我们永远都回不来了呢。"

"我们还碰到了另外一些猫。"冬青叶补充道,"有狗骚扰他们,日神鼓动他们和狗战斗,结果牺牲了几只猫。从那以后,那些猫每次走出洞穴,都必须和狗发生冲突。"她疲惫地叹息了一声,"日神造成了很大的伤害。"

"他就是只爱惹麻烦的猫。"狮焰说着打了个呵欠。

松鸦羽想问的是,你们认为蜡毛是他杀的吗?但他没说出口。他能从同窝手足身上感觉到的只有疲惫、恐惧和烦恼。他不想更深入地去探寻他们的内心世界。

"你们回来了,真好。"他告诉他们。

狮焰和冬青叶都没有回答。松鸦羽意识到,尽管他曾那么思念哥哥姐姐,思念到心里阵阵刺痛,但现在,即使他们回来了,蜡毛的死仍然横亘在他们中间。他们一定像他一样清楚,他们中的任何一个——包括松鼠飞在内——都可能是杀害蜡毛的凶手。

他立即抛开这个想法,然后建议道:"过去吃点东西吧。你们俩都需要好好休息。"

他跟在哥哥姐姐后面,向猎物堆走去,边走边想自己是否有机会和日神单独谈谈。毕竟,他是除了我们三个之外,唯一一只知道那个预言的猫。突然,一个新的想法冒了出来:从日神说话的样子来看,好像我们就是预言中提到的那三只猫。但我们却不可能是了!因为,松鼠飞并不是我们的母亲!

难道日神不知道这件事吗?或者,他也一直在欺骗我们?

拂晓之光
SUNRISE

第十六章

狮焰醒来后，听到周围传来了兴奋的说话声和动作声。他抬起头，看到族猫们正从武士巢穴朝空地走去。他摇摇晃晃地站起来，浑身的肌肉仍然阵阵刺痛，让他不由自主地瑟缩了一下。然后，他拨开树枝，跟在其他武士身后走出了巢穴。

天气晴朗，但太阳没有高高升起，阳光还没照进石头山谷，巢穴上方仍然阴影重重。朦胧中，狮焰看到，蛛足仍然蜷伏在日神巢穴的入口处。尽管天色还早，但大部分族猫已经聚集在空地上了。黛西、米莉和白翅坐在育婴室外。狮焰看到，她们都用尾巴保护性地拢着自己的幼崽。黛西和米莉的幼崽们都睁大眼睛，惊恐地望着石头山谷。狐爪和冰爪跑到武士中间，仿佛需要靠近这些更年长、更有经验的猫。

冬青叶已经起来了，正和榛尾、蕨毛站在一起。她没看向狮焰这边，不知怎么回事，狮焰的脚掌好像也不想向她那边移动。

仿佛我们的一部分，我们过去的一部分，都已经随着蜡毛的死亡而离去了！

这时，火星从高岩上轻盈地跳下来，站到了灰条身边。看到

族长的出现,空地上的猫更兴奋了。

"火星来啦!"

"马上就有事情要发生了!"

狮焰伸缩着僵硬的肌肉,想让它们舒展开来。突然,他听到一阵急促的脚步声,黎明巡逻队从荆棘通道中冲进了营地,刺掌跑在最前头。

这名金棕色武士跑到空地中央,突然刹住脚步,气喘吁吁地问道:"怎么回事?我们错过了什么吗?"

黑莓掌向他走过去问道:"这么早就回营地干吗?你们不可能这么快就把影族边界巡逻完了。"

"嗯,到处都静悄悄的。"莓鼻从刺掌的肩后探出头来,"没什么可担心的。"

黑莓掌的尾巴尖颤动了一下,不高兴地说道:"好吧,但下次不能这么草率了。"随即,他转向武士巢穴外的那群武士,宣布道:"现在,狩猎巡逻队准备出发。沙风,请你带领一支队伍。亮心,你可以——"他没再往下说,而是恼怒地快速抽动着尾巴,因为他意识到,没有哪只猫在听他说话。

他沮丧地望向火星。火星和灰条立即走到他身边。黑莓掌说道:"族猫们一直无法平静下来,甚至都没有猫吃东西了。"

灰条点点头,侧身伏在火星耳边说了些什么。狮焰只听到了这几个字:"最好现在就处理这件事。"

火星的耳朵立即竖立起来:"嗯,没错。黑莓掌,去把日神带来吧。"

听到命令后,副族长便向日神睡觉的灌木丛走去,每只猫都定定地注视着他。他和蛛足说了句什么,然后便消失在树枝下方。片刻之后,他重新出现了,日神就跟在他身后。

泼皮猫走到火星面前。这时,第一缕阳光已经照进山谷,洒在他身上。他看上去皮毛光滑,仿佛过去一个月都在梳理毛发,而不是在两脚兽的地盘上游荡,然后又翻山越岭来到了营地似的。相比之下,狮焰却感觉累得要命,而且身上脏兮兮的。

黑莓掌带着日神向空地中央走去,族猫们纷纷向两旁退开,个个睁大了眼睛,毛发蓬松。

他们这是怎么啦? 狮焰恼怒地想。日神只不过是只猫而已! 族猫怎么表现得像一大群胆小的兔子呢?

"日神,我来了! "波弟的喊声从长老巢穴的方向传来,在山谷上空回荡着。鼠毛和长尾跟着他走了出来,但他们在榛树丛外围的树枝下就停下了脚步,只有波弟迈着沉重的步伐向空地走去。他的毛发竖立着,上面还粘着一小片一小片的苔藓,眼睛里闪动着愤怒的光芒。

还没走到日神跟前,蕨毛便挡住了他。"波弟,别紧张。"他低声说道,"没有谁会伤害日神的。不要过去,和其他猫待在一起吧。"

波弟顿时目瞪口呆,但他还没来得及说什么,榛尾已经向他走过来,轻轻地把他推过去,让他在她和桦落旁边坐下。

火星和日神面对面地站在族猫围成的圆圈中央。"你知道我们为什么带你来这里吗? "他问道。

日神把头歪向一边。"一只猫被杀了,你们认为我有嫌疑。"他自信地迎向火星的目光。在苍白寒冷的阳光下,他的皮毛闪着光。

"是你杀了蜡毛!"刺掌冲他怒吼道。

"就是。"云尾咆哮道,"有猫看到过你在风族的边界上,休想抵赖!"

"你为什么要杀他呢?"栗尾厉声问道,"他对你做过什么吗?"

日神没有理会这些怒吼声,而是一直凝视着火星。族长摆了摆尾巴,示意众猫安静。

咆哮声逐渐停止后,火星说道:"我们在风族边界的小溪中发现了一名雷族武士的尸体,喉咙上有咬痕。你不承认这是你干的吗?"

日神盯着他,眼睛一眨也不眨:"火星,好好想想你说的话吧。等时候到了,自然会真相大白。"

这时,狮焰看到,火星的绿眼睛里流露出一丝受挫的神色。日神既没承认也没否认这项指控。

"让他坦白认罪!"一些猫在猫群后面嘶喊道。

火星没理会这些激烈的话语,仍然凝视着日神。"当时,你去风族边界干什么?"他问道。

日神耸耸肩:"我怎么会记得?那是很久以前的事了。"

"你在那里看到过蜡毛吗?"狮焰听出,火星询问泼皮猫时,已经很难保持声音的沉稳了。

"蜡毛？"

"一只强壮威武的公猫，有着厚厚的灰色皮毛。"火星的语气中透露出掩饰不住的恼怒。狮焰猜想，日神一定非常清楚蜡毛是谁。

日神却摇了摇头："我没在那里看到任何一只猫。"

"那你闻出什么气味了吗？"

狮焰看到，日神的眼睛戏谑地闪动了一下，仿佛这只神秘的泼皮猫已经意识到，火星越来越失去耐心了。"我闻到了雷族和风族的气味。"他回答说，"但没闻出什么特别的气味。"

"你听到打斗声了吗？"

日神缓缓地眨了眨眼睛："没有。"

火星只好暂停询问，尾巴尖沮丧地抽动着。仿佛有一只冰冷的爪子按在了狮焰的肚子上，他意识到，就连族长也无法刺探出日神的秘密。

"去吃点儿东西吧。"火星最后说道，"但别以为这件事会就此结束。"他警告日神，"我们还会再次谈话的。云尾，接下来由你来担任看守，好吗？"

"非常乐意。"白色武士回答道。火星带着副族长去了新鲜猎物堆，然后回到了自己的巢穴。云尾则一直跟在副族长身后。最后，他在日神巢穴外的灌木丛边蜷伏下来，表情严肃，毛发直立。

日神回到巢穴之后，黑莓掌重新组织了捕猎巡逻队。猫群也渐渐散开了。

"所有跟随我去寻找日神的猫，今天上午都在营地休息。"副

族长对狮焰说道,"一定要确保大家都休息好。"

狮焰不相信有这种可能性。因为此时,族猫立刻把他和其他远征队员团团围住,急切地询问路上发生的事情。

"带日神回来一定很难吧?"罂粟霜问道。

"他有没有试图逃跑啊?"狐爪兴奋地补充说。

"没有。"狮焰回答说,"他很愿意来。我们让他怎么做,他就怎么做。"

这的确很奇怪,他心想,日神同意来这里,有他自己的原因吗?想到这儿,他感觉毛皮立刻刺痛起来。难道泼皮猫认为,他能像对待影族那样对待我们吗?

"你们一路上害怕不?"鼠须悄悄地问道。他的眼睛睁得老大,仿佛正在幻想着各种灾难。"那只猫什么事都做得出来。"

此时,波弟向猫群走了过来,边走边大声说道:"小猫们,说话可要当心!你们根本就不知道自己说了些什么!日神是只好猫。他是我的朋友。"

鼠须马上向后一跳,老虎斑猫的强烈抗议让他十分惊恐。

"但有猫看见他——"炭心开口说道。

波弟一下子打断了她的话:"日神永远不会伤害任何猫。"老猫继续向这些年轻猫逼近,"你们是不是都脑子进水啦?"

"好啦,波弟。"狮焰试图想办法说服老猫。

沙风却打断了他:"波弟,没事的。如果日神是无辜的,就没有猫会伤害他。走吧,我带你去猎物堆。"

波弟嘀咕着什么,最后瞪了这些年轻武士一眼,才跟在姜黄色母猫身后走开了。

"呸！"狮焰望着冬青叶说道，"我还以为，我会被他那口臭味给熏倒呢。"

然而，冬青叶并没有对他表示同情："嗯，波弟是现在唯一一只帮日神辩护的猫了。其他猫都认定他有罪。"

狮焰张开嘴，正要问妹妹：你认为呢？但冬青叶已经走开了。狮焰想了想，并不能确定自己是否想知道她的答案。

紧接着，他朝武士巢穴走去，准备休息，却听到火星在喊什么，然后便看到，族长正在高岩下用尾巴招呼余下的武士。狮焰走过去时，发现火星很是烦躁，不停地伸缩爪子，仿佛想要立即行动，但又不确定是否应该这样做似的。

族长看到猫群旁边的巫医，立即喊道："叶池，你是否知道，我们可以用什么方法来证实蜡毛是日神所杀？"

巫医摇了摇头。

"那些咬痕呢？"栗尾建议道，"我们能否让日神在一片树叶上咬一口，然后对比一下他的齿印和蜡毛伤口上的齿印？"

"聪明！"火星赞许地看着玳瑁色母猫说道，"我去——"

"没用的。"叶池打断了他的话，"蜡毛已经被掩埋很久了。"

一阵沉默过后，没有其他猫再提出什么别的建议。然后，灰条说道："还有些其他的事情，我们需要好好想一想。你们还记得在旧森林时，雷族把断尾关押起来的事吗？结果，他却和虎掌成了朋友，还从内部进攻雷族。日神在我们营地里时，我们千万不能信任他！"

207

WARRIORS
猫武士

　　"那我们就必须惩罚他。"桦落急速地甩动着尾巴，"我们不能让他再惹出更多的麻烦。"

　　"让他去收集老鼠胆汁吧！"罂粟霜的眼睛一亮，显然记起了当学徒时不得不做的这份工作。

　　"我们可以让他给我们捕猎。"蕨毛建议道。

　　"但那样的话，他可能会逃跑。"狮焰指出。

　　"我们必须先证实他有罪，然后才能惩罚他。"火星说道，"现在，我们只能等。叶池，你可以密切关注星族的任何信息吗？我们的武士祖灵一定知道真相。"他用爪子抓挠着地面，在潮湿的泥土上留下了深深的爪印，"星族为什么还没给我们传来任何信息呢？"

　　叶池的表情高深莫测："星族只会在他们认为适当的时候，告诉我们族猫想知道的事情。"

　　火星点点头，认可了巫医的话。"那么，日神就留在这里吧，直到我们得到更多的证据。不过，我们必须对他严加看守。"他作出了决定，然后又看了叶池一眼，补充道，"直到星族决定帮助我们。"

　　后来的几天里，雷族不得不习惯于一种不自然的日常活动：让日神进食，放他到空地上，并看着他伸展腿脚，还要带他去排泄。日神一如既往地镇定自若，对每只猫都同样友好。

　　狮焰不耐烦地等待着与他单独说话的机会，以便问问预言的事，但身边随时都有其他的猫，而且，只有资深武士才有资格看守日神。他无法忘记在两脚兽地盘遭遇狗群时,感觉到的战斗力量和自控能力。这让他依然相信,自己是三力量之一。

　　天气一直晴朗干燥,但每天早晨,树梢上都有霜。有时,正午的阳光十分温暖,足以让族猫在悬崖底部几块平坦的岩石上晒太阳。鼠毛尤其喜欢趴在那儿沐浴阳光。

　　"我觉得,长老们应该得到允许,想什么时候在那儿晒太阳,就什么时候晒。"她宣布说,"我们的老骨头需要阳光。"她又叹息了一声,抽动着耳朵,"以前在旧森林时,我们有太阳石。如果愿意,全族的猫可以同时在那里晒太阳。"

　　自从波弟来了以后,鼠毛渐渐沉溺于和他一起躺在这些岩石上晒太阳了。他们的友谊让狮焰颇为吃惊,但他猜测,两只老猫经常说起的话题,一定是现在的年轻猫多么粗鲁无礼,过去的猎物又是多么美味可口。

　　远征队回来后的某一天,大约是正午前后,狮焰正和蜜蕨、莓鼻一起走回营地。那天上午,三只猫一直和松鼠飞、蕨毛以及他们的两名学徒一起训练。由于白翅产期临近,蕨毛已经接任了冰爪的老师一职。

　　"他们训练得真不错呀。"蜜蕨说道,"你看到冰爪跳得有多高了吗?"

　　"狐爪闪得也很快。"狮焰表示同意,"松鼠飞曾让他们反复练习那个动作,现在,他们都学会了。"

　　这时,莓鼻停下脚步,张开嘴,打了个大大的呵欠:"真想在阳光下躺一会儿,缓缓气什么的。不知道鼠毛是否会让我们在那

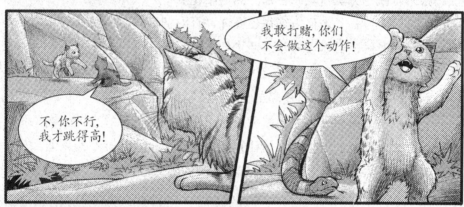

些岩石上晒晒太阳。"

"好主意。"狮焰说道。

刚走出荆棘通道,他就看到鼠毛、波弟以及长尾正在那块平顶岩石上打盹。莓鼻急切地走了过去,狮焰和蜜蕨紧随其后。

他们走到岩石跟前,听到波弟正在说:"因此,我的直立行走的家伙告诉我,'波弟,只有你能除掉这只老鼠,而且——'"看到三只年轻猫时,他停止了说话,并眨了眨眼睛。

狮焰注意到,尽管波弟在给鼠毛和长尾讲故事,但两位长老却在呼呼大睡。

"嗨,波弟!"他招呼老虎斑猫,"我们刚才一直在想,我们是不是也能在这里晒会儿太阳。上午我们一直在训练,累坏了。"

"现在的年轻猫呀,真没毅力。"波弟嘟哝了一句,但还是站起来,伸了个懒腰,并把鼠毛和长尾戳醒。

"怎么啦?"鼠毛惊愕地问道。

"这些年轻猫也想晒太阳。"波弟解释说。

鼠毛的尾巴尖抽动了一下。但让狮焰惊讶的是,她并没有反对。"我想应该没问题。"她嘟哝道,"不过,得有一只猫给我们送点新鲜猎物到巢穴里去。我可以吃下一整只肥田鼠哦。"

"我去。"蜜蕨自告奋勇,说罢,便向猎物堆跑去。

鼠毛把尾巴放到长尾的肩膀上,带着他走下岩石。三只老猫向榛树丛下的巢穴走去了。

"谢谢啦!"狮焰在他们身后喊道。

老猫们往回走时,波弟对鼠毛说道:"你们刚才睡着了,没听完故事,我只好从头再讲一次了。有只老鼠看见……"

这时,狮焰和莓鼻爬到了岩石上。过了一会儿,蜜蕨便回到了他们身边。老猫们躺过的地方还暖暖的,亮黄色的阳光洒落在岩石上。狮焰舒展着四肢,让阳光浸透皮毛。他心想:要是能永远这样躺着,再也不用担心任何事情,该多好啊!

在他旁边,莓鼻和蜜蕨一边互相梳理皮毛,一边看着米莉的幼崽在空地上玩耍。

莓鼻低下头,伏在虎斑母猫的耳边说道:"总有一天,我们也会有那样的幼崽的。"

蜜蕨仰头看着他,害羞地眨了眨眼睛:"我很喜欢孩子。"

莓鼻的声音竟然如此温柔,狮焰很是吃惊。他已经习惯了这名年龄稍长的武士的专横跋扈。一直以来,只要莓鼻认为可以不亲自去做的事情,就总是对其他猫颐指气使。也许,有蜜蕨这样的伴侣,对他来说是件好事。

至少,他可以不用再来烦我了。

乳白色武士又用舌头狂舔蜜蕨的肩膀:"你一定会成为一位了不起的母亲。"

看到他们俩亲密的样子,一阵寂寞袭上狮焰的心头。我的母亲是谁呢?她为什么不要我了?他闭上眼睛,却想象不到母亲的样子,也不知道她是否想过被抛弃的孩子。

"看我!看我!"小梅花的声音从空地那边传来,"我比谁都跳得高!"

"不,你不行,我才跳得最高!"小黄蜂不服气地说道。

　　狮焰睁开眼睛,看到离他们所躺岩石不远的地方,米莉的三个幼崽正在跑跑跳跳、翻筋斗。小荆棘摔倒了,滚到岩壁的一道裂缝旁。她猛地一跳,用后腿直立起来,前爪在空中抓挠着。

　　"我敢打赌,你们不会做这个动作!"她洋洋得意地说道。

　　与此同时,狮焰看到,一个长长的黑影出现在小荆棘后面的岩石上。但小猫太兴奋了,并没有注意到。狮焰呼地坐了起来。

　　蛇!

　　他绷紧肌肉,准备跳过去,但蜜蕨的动作更快。她已经从岩石上跳下去,一把将小荆棘推开了。蛇弓起脖子,蜜蕨还没来得及跳开,它已经低下头来,将毒牙嵌进了她的肩膀中。

　　蜜蕨痛得尖叫起来,拼命向后跳去:"救命呀!"

第十七章

冬青叶叼着两只老鼠和一只田鼠从荆棘通道走了进来。这次，她的捕猎成绩不错，但向猎物堆走去时，她却感觉鼻子和脚掌已经冻麻木了。秃叶季的阳光无法渗透到树下的阴影中，那里的地面仍然是冻土。

刚把猎物放到猎物堆上，她就听到悬崖底部传来一声尖叫——就在巫医巢穴的旁边。她猛地转过身去，看到狮焰冲到空地中央，毛发直立，仿佛身后有整整一个族群的敌猫追来了。

"救命啊！快来啊！"他尖叫道，"蜜蕨被蛇咬了！"

冬青叶顿时吓得血都凉了，飞一般地冲过空地。石头山谷中从来没出现过蛇！跑到悬崖下时，她看到小荆棘正缩在岩石底下，吓得浑身发抖，眼睛惊恐地大睁着。米莉跳到她面前，用尾巴保护性地搂住她，将她拉开。

莓鼻蹲伏在蜜蕨旁边。蜜蕨正侧躺在地上，脚掌无力地张开，呼吸又急又浅，眼里充满了恐惧。她的肩膀上有道细细的血流，正是刚才被毒蛇咬过的地方。

栗尾和蕨毛从武士巢穴里冲了过来。看到受伤的女儿，他们

的眼中闪现出同样的惊惧。蜜蕨的妹妹炭心紧跟着跑了过来。

他们慢慢地停下脚步，栗尾把鼻子顶在了蕨毛的肩膀上。"噢……不，不要……"她低声说道，"我不能再失去一个孩子了！小痣已经离开了我！求求你了，星族……"

狮焰跑回来时，冬青叶悄悄地问哥哥："罂粟霜在哪儿？"现在，栗尾需要所有的孩子都在身边。

"巡逻去了。"狮焰回答说，"她——"

他没往下说，因为叶池已经从猫群中挤了过来。"往后站，给我一些空间。"她命令道。

莓鼻怒视着她，嘶吼道："我不走！"

叶池并没有理会他，而是在蜜蕨身边蹲下来，用一只脚掌按住她的肩膀。"尽量别动。"她说道。

冬青叶满怀期待地关注着叶池的救助动作。巫医应该知道该怎么办吧？但她没带任何药草过来。事实上，她什么也没做，就那么眼睁睁地坐在发抖的虎斑武士身边。

叶池抬起头，目光扫过猫群，停在了炭心身上。她眼中透出乞求的神色，是那么的绝望，又是那么的充满希望。冬青叶不禁向后一缩，心想：真搞不明白，她想让炭心做什么？

"快帮帮我！"蜜蕨已经开始抽搐，并痛苦地翻腾着，"我的血烫得像火！帮帮我，求求你们啦！真的很痛啊！"

莓鼻盯着叶池，恳求道："快做点儿什么吧！"他又用目光扫视着猫群，"你们哪个快做点儿什么吧！"

叶池好像没听到他的话似的，只是把目光从炭心身上移开，

然后低头看着蜜蕨吃力地喘气。

栗尾困惑地看着巫医："你为什么不采取任何措施呢？"

叶池低下了头。"对不起，"她低声说道，"我也无能为力了。毒液已经流遍了全身。"

栗尾抬起头，痛苦地号叫了一声。蕨毛用尾巴搂着她的肩膀，把她拉到身边。

蜜蕨的腿蜷缩到肚子上，痛苦地弓着背。痉挛过去之后，她无力地躺在那儿，胸脯几乎没有起伏，不知道是否还有呼吸。她的腿继续抽搐，眼光已经开始涣散。

冬青叶和其他猫默默地退后，给莓鼻留出空间，让他送别蜜蕨踏上去往星族的旅程。乳白色公猫蹲伏在她身体的上方，用一只脚掌轻轻抚摸着她的皮毛。"我们本来可以有一群可爱的幼崽的，和你一样强壮漂亮。"他喃喃地说道，"总有一天，我会在星族和你相会的。"

蜜蕨的下巴动了动，喉咙里发出一阵刺耳的声音，仿佛想要和莓鼻说话。

"你救了小荆棘的命。"莓鼻继续说道，又低头舔着垂死母猫的头，"星族的每只猫都会以你为荣的。"

蜜蕨长叹了一声。冬青叶无助地看着这一幕。同伴的四肢慢慢不动了，胸脯微弱的起伏也渐渐停止，那双没有生命力的蓝色眼睛望向了天空。

一阵刺痛掠过冬青叶全身，像那条蛇的毒牙一样尖利。她看到了炭心脸上恐惧的神情，想象着如果自己失去哥哥或者弟弟，

会是什么样的感觉。

不!冬青叶将爪子深深地插进泥土。永远不要再发生这样的事了!

叶池向蜜蕨的尸体走去,但蕨毛拦住了她。相反,他向莓鼻走去,把尾巴放在年轻武士的肩膀上。"她已经去了。"他告诉莓鼻,"现在,她和星族在一起捕猎了。"

他轻柔地推着莓鼻站起来,带他走到一边,温柔得如同父亲一般。然后,他向叶池点点头。巫医在蜜蕨身边蹲伏下来,把一只脚掌放在她的胸口上,检查是否还有任何呼吸的迹象。然后,她轻轻地摇摇头,对狮焰说:"找一些武士来,把她的尸体抬到空地上去。我们得让她离开悬崖,万一那条蛇还在附近呢?"

"我来抬。"冬青叶主动说道。

狮焰又用尾巴招来了蛛足和刺掌。四只猫一同抬起蜜蕨还未僵硬的尸体,向离武士巢穴不远的遮荫处走去。

他们走过空地时,灰条从荆棘通道里走了出来,叼着满嘴猎物。罂粟霜和鼠须跟在他身后。一看到姐姐的尸体,罂粟霜就立即放下新鲜猎物,冲了过来。

"出什么事了?"她哀号道,"蜜蕨,快醒醒!"

栗尾走到她身边,母女俩的皮毛紧挨着。武士们把已死的母猫放下之后,她的血亲们才围到她身边,互相安慰,为她守夜。

太阳还没有下山,但冬青叶感觉冰霜已经侵入皮毛,她不由得颤抖起来。"你没事吧?"她问狮焰,"你看到了事情的整个经过。"

狮焰阴郁地点点头，但没有说话。

"蜜蕨的死将是雷族巨大的损失。"

听到日神的声音，冬青叶一惊，转身看到他已经从自己的窝里走了出来。一定是刺掌跑过来看出了什么事，结果无猫看守日神。泼皮猫琥珀色的眼睛里闪动着悲痛的神色，他的头低垂着，仿佛正在真诚地哀悼年轻母猫。

"这么年轻就去了，真是太遗憾了。"他又补充说。

冬青叶知道，她应该送他回巢穴中去，但却无法提起劲来。所有的猫都沉浸在悲痛之中，没有谁还有心思担心日神到底想干什么。

也许，他可以留在这里，她心想，他能造成什么伤害呢？

波弟和长老们也出现了，正向这边走来，与其他族群猫站到了一起。

"没有比失去年轻猫更糟糕的事了。"波弟说道，"她还有很长的路没走完呢。"

"她是只很不错的猫。"鼠毛表示赞同，"她做的最后一件事，是给我拿来了一些新鲜猎物。"

所有的猫都在空地中央乱转，不知如何是好。当灰条走到猫群中间，竖起尾巴，示意大家安静时，冬青叶才舒了一口气。

他立即下达指令："鼠须，去把火星找回来。他带领狩猎队去旧两脚兽巢穴附近了。黑莓掌正带队进行边界巡逻，我们只能等他回来，因为我不知道他此刻在哪儿。"鼠须跑开之后，他又补充说："叶池，你能检查一下小荆棘，看看她怎么样了吗？"

叶池点点头，看上去很乐意有事情要做。米莉把小荆棘带到巫医面前，自己则在一旁等着，不停地用爪子刨着地面，狂乱的眼神中满是焦虑。黛西跟了过来，因为其他幼崽都和小荆棘一样惊恐。

叶池把小荆棘浑身上下都嗅了一遍。冬青叶悄悄地对狮焰说道："她肯定没事。蜜蕨不会白白死去的。"

终于，叶池点了点头。"她很快就会好的。"她告诉米莉，"我会给她吃一粒罂粟籽，让她好好地睡一觉。"

"但蛇怎么办啊？"黛西哀号道，"营地里从没出现过蛇。"

"是的，我们该怎么办呢？"米莉附和着说道，"总得想想办法啊。不然会死更多的猫。"

灰条转向狮焰说道："把蛇袭击的确切地点指给我看看。"

冬青叶跟着哥哥和灰条走过空地，向刚刚晒太阳的岩石走去。她很欣赏灰毛武士主动出来控制局面的做法，并意识到灰条曾经一定是位优秀的副族长。

"蛇就是从那条缝中钻出来的。"狮焰用尾巴指着岩壁上一条很深的裂缝喵道，"不过我没看到它是否又钻了回去。"

灰条小心翼翼地走过去，顺着悬崖底部一路嗅闻，朝每一条裂缝中看去。"没看到蛇的踪影。"他又回到狮焰身边，"但它可能无处不在。有些裂缝很深，里面有很多可以藏身的地方。"

冬青叶害怕得脚掌刺痛起来。如果死神随时都可能从悬崖上悄悄溜出来，攻击任何一只猫，那他们怎么还能继续住在这个石头山谷中呢？

"米莉说得对。"她说,"我们必须想想办法。"

灰条没来得及回答,火焰色的皮毛便在入口处一闪,火星冲进了营地。灰条马上跑过去迎接他。冬青叶看到,族长的表情由焦急变成了恐惧。他向蜜蕨的尸体走去,在她悲痛欲绝的血亲旁边蜷伏下来。

冬青叶离得足够近,清楚地听到了他的话。"对不起。"火星的声音在颤抖,"我向你们保证,永远不会让这样的事情再次发生了。"

但你怎样预防呢?冬青叶很想知道。这不是你的错。你不可能知道有条蛇藏在悬崖下面。

鼠须是跟在火星后面进入营地的。与他们一起回来的,还有巡逻队的另外两名成员——尘毛和桦落。很快,亮心和松鸦羽也走进了营地,他们各自叼着一束猫薄荷。冬青叶从他们沉重的表情中可以看出,鼠须一定也碰到过他们,并将不幸的消息转告给了他们。最后,黑莓掌的巡逻队终于从风族边界巡逻归来。山谷中顿时回荡着族猫震惊而痛苦的叫声。冬青叶很想回到自己的巢穴里,把头埋在苔藓和凤尾蕨中,紧紧地闭上双眼。也许,一觉醒来她会发现,蜜蕨的死只是一个可怕的梦。

但她的脚掌还没把她带回巢穴,就看到火星爬上了岩壁,站到了高岩上。"雷族的猫们!"他高亢的声音在石头山谷中的每个角落里回荡,"一件可怕的事情发生了,但我们必须保持镇定。为了保护本族幼崽,蜜蕨英勇地牺牲了。她是真正的武士。我们将怀念她,不仅仅是今晚,而是以后所有的日子。而且,我们还必须

确保那条蛇不会再回来伤害任何一只猫。"

"火星,我们听你的!"黑莓掌大喊道。

火星向副族长点了点头:"首先,我们需要在悬崖的那个区域搭建黑莓屏障。尘毛,你来负责这件事,好吗?"黑棕色虎斑武士严肃地点了点头。"任何猫都不许靠近屏障。米莉、黛西,你们必须让幼崽也明白这一点。我们最好不要再在那些岩石上晒太阳了。秃叶季里,蛇通常都在睡觉,但我想,这条蛇一定是受到了晒太阳的猫的惊扰。"

冬青叶看到,波弟和鼠毛交换了一个震惊的眼色。"可能是我们!"波弟大声说道。

鼠毛低下头,眼里满是悲痛。"我宁愿被咬的是我,而不是那只可怜的年轻猫。"她嘀咕道。

"好啦。"火星说道,"大家各司其职吧。今晚,我们要为蜜蕨守夜。"他又轻盈地从岩石上跳下来,向黑莓掌走去。

"狮焰!"尘毛喊道,"快过来帮我搭建屏障。你可以带狐爪和冰爪到森林里去,拉些黑莓藤回来。"

"我来啦!"狮焰回答说。然后,他又停下脚步,匆匆地与冬青叶碰了碰鼻子,就跑去召集那两名学徒了。

黛西和米莉正带领各自的幼崽回育婴室。"你们也都听到火星说的话了。"米莉严肃地说道,"从今以后,谁也不准再靠近悬崖的那个位置。"

"我们不敢去了。"小梅花的声音很尖,怯生生的。其他幼崽看上去也异常听话。

　　白翅跟在他们身后,回到了育婴室。桦落走过去,用鼻子摩挲着她的肩膀。"你一定要当心,好吗?"他不安地说。

　　白色母猫深情地对他眨了眨眼:"我会的。你不要这样大惊小怪的啦。"

　　桦落用耳朵指了指莓鼻。后者正默默地蜷伏在蜜蕨的尸体旁。"我不会让你加入星族的,"他固执地说,"永远不,永远。"

　　白翅靠在他身上,他们的皮毛紧贴着,尾巴也缠绕在一起。

　　其他猫渐渐散开,冬青叶却仍然一动不动地站在那儿。她不知该做些什么。她想去安慰炭心,但又不敢打扰正处于悲痛中的母猫。她烦乱地向武士巢穴走去时,叶池向她走了过来。

　　"冬青叶,你能帮亮心收拾药草吗?"她问道,"我和松鸦羽要检查猫后和幼崽们是否受到了惊吓。"

　　"当然可以。"冬青叶求之不得,终于有事可做了。她叼起松鸦羽采回的猫薄荷,来到巫医巢穴中。亮心已经开始分拣她那捆药草根茎了。冬青叶和她一起忙碌起来。呼吸着洞里飘浮的药草气味,这感觉真不错,这让她回想起了那些给叶池当学徒的日子。当初记不住药草的用途时,我总会担心着急。如果现在我也只需要担心这一点,那该多好啊!

　　"我们要是知道哪种药草可以治疗蛇的咬伤就好了。"亮心难过地说道。她用前爪拨弄着药草叶,熟练地将枯萎或受损的叶子掐掉。

　　冬青叶认可地点了点头。但她知道,无论她们有多强烈的愿望,也无法挽回蜜蕨的生命了。突然,她听到有猫掀开黑莓帘走

进巢穴的声音。她竖起耳朵,回过头去,看到叶池走了进来。

"我需要给黛西一些罂粟籽。"巫医解释说,"她都有点歇斯底里了。"

"这也不能怪她。"亮心说道,"如果我现在有幼崽,我也会害怕的。"

叶池把罂粟籽包好,正要离开时,火星把头伸进了黑莓帘。

"什么事啊?"叶池的语气显得很烦躁。冬青叶不明白这是怎么回事。

"我们需要确保那条蛇不再威胁族猫。"火星小声说道。

叶池迷惑地眨了眨眼:"那你想要我做什么?我可不能把蛇从洞中召唤出来。"

"不是的。"火星回答说,"但你能确保它不再进入营地的主要领域。我想,你可以在蛇活动的区域放上一些死亡浆果。"

族长一提到死亡浆果,冬青叶便感觉脚掌僵在了地上。她和亮心面面相觑。每只猫都知道,叶池从不允许营地里出现这种药草,因为它们非常危险。

"火星,你知道的——"巫医开口说道。

火星打断了她的话:"向幼崽以及每一只猫解释清楚,那些浆果是什么,为什么绝对不能碰或者吃。他们会理解的。我们必须这样做。我不能再因为蛇的攻击而失去任何猫了。"

叶池犹豫了。然后,她迟疑地点点头。"很好,我和松鸦羽今天就去采些回来。"她更严肃地补充道,"但我不喜欢这个主意。如果死亡浆果一个月内没把蛇毒死,我们就必须想别的办法。"

第十八章

　　狮焰带着狐爪和冰爪进入森林，采集黑莓藤。恐怖的场景在他脑海里没完没了地重现，他不时感到脚掌发麻。

　　我本来可以做些什么吗？如果我动作快点儿……也许，如果我跳过去抓住那条蛇，就可以先杀了它。

　　两名学徒仍然害怕得直发抖，哪怕只是听到树叶沙沙作响的声音。他们好像认为，蛇会躲藏在任何一个角落里。狮焰见此情景，想道，据我所知，他们猜得没错……

　　冰爪说道："真不敢相信，营地里竟然住着日神和一条蛇。"一片橡树叶飘落到地上，她立即毛发直立，跳到一边。

　　"你觉得，会不会是日神叫那条蛇来杀蜜蕨的？"狐爪用颤抖的声音问道。

　　"别这么荒唐好不好！"狮焰喝道，自己也没想到声音会这么大。两名学徒都吓得往后一跳。"当时，蛇就在那儿。它本来更可能咬到日神，而不是蜜蕨！"

　　"希望如此。"狐爪嘀咕道。

　　狮焰却突然沉默了。他心想，难道死去的雷族猫还不够多

吗？

　　他把两名学徒带到旧雷鬼路起点附近，那里有一丛浓密的黑莓藤。他爬到藤中，咬断了那些长长的、无刺的茎。学徒们犹豫地看着，紧张地眨着眼睛。

　　"快点儿帮忙！"狮焰催促道，"怎么啦？"

　　"那里有没有蛇啊？"冰爪哭丧着脸问道。

　　"如果有的话，我恐怕已经死了。"狮焰生气地说，"好吧。"他叹着气补充道，"我来咬断根茎，你们把卷须拖出来。"

　　他们同心协力忙碌了一会儿，拖出来的卷须越来越多。然后，狐爪停了下来，嘴里叼着一根茎的末端。

　　"怎么了？"狮焰问道，"你得把那根茎拿走，这样我才能弄下一根。"

　　狐爪却马上把它放了下来："我闻到风族的气味了！"

　　冰爪放开那根她正往卷须堆上拖的根茎，嗅了嗅空气。"不，是河族的气味！"她大声说道。

　　狮焰急忙从黑莓藤下钻出来，并深深地吸了口气。"你们俩都没错。"他脖子上的毛开始竖立起来，"而且，还有影族的味道呢。"

　　狐爪蹲伏下来，耳朵贴平。"我们是不是又被入侵了？"他尖叫道。

　　"我不这样认为。"狮焰强迫自己冷静下来，"味道不太浓，不是很多猫的气味。"他摆动着尾巴示意道，"都站到我身后去。不要做任何事情，除非我叫你们去做。"

　　两名学徒站在他的后爪附近，紧紧地抱在一起。狮焰则面对着传来气味的矮树丛。一丛凤尾蕨微微地颤动着。紧接着，影族族长黑星走进了开阔地，后面跟着花楸掌。很快，豹星和芦苇须也出现了，一星和裂耳紧跟在他们身后。

　　三名族长竟然都来了！狮焰凝视着他们，心里一阵狂跳。这叫什么巡逻啊？

　　"你好，狮焰。"黑星点头说道，"我们要和火星说话。"

　　"好的，跟我来吧。狐爪，冰爪，请把那些黑莓藤带回去。"

　　狮焰带领访客穿过荆棘通道，回到了石头山谷，现在，空地上比他离开时安静多了。蜜蕨的尸体仍然安放在树阴下。她的血亲蜷伏在旁边，要单独为她守夜，直到黄昏。日神已不见了踪影。刺掌则回到日神的巢穴外，继续站岗。猫后和幼崽都回到了育婴室。

　　火星正站在空地中央，与灰条和黑莓掌说着什么。当狮焰带着这支不同寻常的队伍出现时，三只猫都惊讶地抬起头来。

　　"你们好。"火星一边说，一边彬彬有礼地向其他族长点头，他的语气很谨慎，脖子上的毛也开始竖立起来，"我能为你们做些什么吗？"

　　黑星并没有对他的问候作出回应。"日神在吗？"他逼问道。

　　"他杀死了蜡毛，是真的吗？"豹星接着说道。

　　一星狂怒地吼叫着："你们打算什么时候才告诉我们，雷族关押了一个凶手？"

　　火星突然感到耳朵一阵刺痛，尾巴尖也不断地抽动起来。狮

焰从他的绿眼睛中看到了惊恐的神色。"你们怎么这么快就知道了?"他问道。

"我的一名巡逻队员看到,你的族猫带着日神从湖边回来了。"一星的声音愤怒得直颤抖,"他们把这个消息告诉了河族巡逻队,然后,河族又把这个消息传给了影族。"

火星迅速地扫视了几名族长一眼。"从何时起,雷族的事也成其他族群的事了?"他冷冰冰地说道。

"从雷族威胁到其他族群开始。"豹星反驳道。

"你们应该知道,那只猫对我们的威胁很大。"一星边说,边在地上摩擦着前爪,"然而,你们却把他带到族群猫的领地上!"

黑星向前走了一步。狮焰几乎无法相信,影族族长敢在雷族营地攻击火星。他已经绷紧肌肉,随时准备保护自己的族长。

"难道你已经忘了,日神想对影族做的事情吗?"黑星嘶喊道,"他教唆我们不再相信星族!"

那我就是老鼠!狮焰在心里嘲笑道。他扫视了灰条和黑莓掌一眼,明白资深武士们也有同样的想法。虽然当时黑星非常愿意听日神的话,但此刻,他却不准备承担任何责任了。

"你打算怎么处置他?"豹星逼问道。

火星迟疑了,看起来越来越苦恼。但是,他强迫自己缩回爪子。"我还没有作出决定。"他承认道,"我们仍然在尽力查明真相。"

一星张大了鼻孔,眯起了双眼:"日神太危险了,我们不能把他关在湖边。你现在就应该把他送走。"

"你应该让他留在他原来待的地方。"豹星低声咆哮道,"任何稍微有点儿头脑的猫都明白这一点。"

"那样的话,杀死蜡毛的凶手就逍遥法外了。"火星说道。

"报仇并不是最重要的。"一星的气势咄咄逼人,"你把日神带回来,会威胁到我们所有族群的安全。无论以后发生什么事,你都不会得到我们的支持了。"

其他两位族长点头表示同意,他们带来的另外三只猫也凶神恶煞般地低声咕哝着什么。虽然狮焰体内的热血在翻滚,但同时又感到一阵寒意掠过了全身。他想用爪子划过这些傲慢猫的身体。他们没有权利干涉雷族的事情!

黑星抬起了头。"下次森林大会之前,日神必须离开雷族领地。"他坚持说道,"否则,我们三个族群将联合起来,亲自除掉他!"

第十九章

　　叶池爬上山脊，松鸦羽紧跟在她身后。山脊上树木稀疏，但脚掌下的松针却让他们感到一阵阵刺痛。他感觉地面越来越潮湿，当爬下山脊的另一端，进入一堆乱糟糟的灌木丛时，他突然一下子滑倒在地。当他重新恢复平衡时，闻到了紫杉树皮和死亡浆果的强烈气味。

　　"我们找到了。"叶池说道，"我爬到树上，把一根树枝折弯，这样你就够得着了。"她用胳膊肘把松鸦羽推向前几步，"就站在这儿。"

　　松鸦羽听到老师快速地爬上了那棵树。过了一小会儿，他感觉到紫杉树枝碰到了自己的头，扑鼻而来的是死亡浆果那强烈的气味，他的皮毛顿时直立起来。

　　"尽可能够高点儿。"叶池在他正上方说道，"你头顶就有一根长着浆果的小枝条。千万要小心。"

　　用不着你告诉我！松鸦羽心想。

　　他向上伸展身体，前爪从地面上抬起。一根羽毛似的小枝刺中了他的脸，他感到一簇重重的死亡浆果碰到了他的皮毛，于是

他急忙尽力用牙齿咬住小枝和树干的连接处。当叶池帮他咬断那根小枝时,他感觉到,他俩的口鼻贴在了一起。

一波波愁苦从巫医身上荡漾开来,这让松鸦羽非常惊恐,几乎失去了平衡。他不得不拖动后脚掌,更牢固地插入潮湿的松针中,才得以继续咬住沉重的小枝。叶池生怕把更多的死亡带入石头山谷,因此心里异常痛苦不安,悲痛得几乎无法动弹了。

然而,当她说话时,声音却异常坚定:"好啦。"然后,松鸦羽感到小树枝落到了地面上,就在他的脚掌旁边。他放松下来,摇摆着肩膀,忙着舒缓由于长时间伸展身体而感到的劳累。然后,他用嘴巴咬住小树枝的末端,把这簇浆果叼了起来。他小心翼翼地不让它们碰到自己的嘴巴。

他随后听到身边响起了轻轻的撞击声,知道叶池已经从树上跳了下来。"你拿着死亡浆果,"她告诉他,"我会在后面跟着你,并确保所有的浆果都没掉落下来。在这里倒没什么大碍,但我不想在营地附近掉下哪怕是一颗。"

他们走入荆棘通道时,空地上好像到处都是猫,就像一群愤怒的蜜蜂正在嗡嗡直叫。松鸦羽找到了狮焰,并向他走去。他把死亡浆果放下,然后问道:"又发生了什么事情吗?"

"其他三位族长刚刚来过这儿。"狮焰愤怒地低声咆哮道,"他们让火星必须在下次森林大会之前,把日神赶走。否则,他们会亲自处理。"

"什么?"松鸦羽抽动着尾巴,"他们有什么权利对雷族指手

231

画脚？”

　　他可以感觉到狮焰心中的怒火。“他们根本不在乎蜡毛被杀。”哥哥大声说道，“他们像被吓坏的兔子一样，认为日神会跳出去把他们撕碎。火星绝对不能向他们屈服！”

　　松鸦羽咕哝着表示同意，但他的脚掌却因担心而刺痛起来。他不喜欢其他族群知道蜡毛被杀的事情。灰毛武士的死造成的影响已经越来越大，而且没有任何迹象表明，这种影响会消失。

　　随即，他听到了叶池的呼喊声，急忙尽力摆脱这种不安的情绪。“松鸦羽，把浆果放在这片叶子上。我们一定得让所有的幼崽都明白，这些东西有多么危险。”

　　叶池把一张平整的叶子摆在松鸦羽面前。然后，他把死亡浆果放在叶子上。紧接着，巫医把叶子拖过营地，朝育婴室走去，松鸦羽紧跟在老师身后。“把狐爪和冰爪也叫来吧。”她又说道。

　　松鸦羽嗅嗅空气，闻出这两名学徒正站在尘毛搭建的屏障边缘。“狐爪！冰爪！”他仰头喊道，“叶池正在找你们。”

　　“来啦！”冰爪回答说。

　　松鸦羽听到尘毛正在抱怨：“我觉得，我们应该在绿叶这边搭建屏障。叶池那边的事弄完后，你们马上就回来！”

　　松鸦羽在育婴室外追上叶池时，巫医正在大声叫喊：“米莉！黛西！请把幼崽们带到这里来。”

　　“为什么呀？”由于罂粟籽的作用，黛西的声音有点儿懒洋洋的。

　　“我要向你们的幼崽说明一些事情。”叶池和松鸦羽等待着，直到两位猫后把她们的孩子领到了外面。白翅跟在他们身后,在入口处蜷伏下来。

"你们看到这些浆果了吗?"叶池开口说道。

虽然幼崽们仍然很害怕,而且没有回答叶池的问题,但松鸦羽可以感觉到,他们都很好奇。

过了一会儿,小黄蜂壮着胆子说道:"它们看起来很好吃耶。"

"不!一点儿都不好吃!"由于生气和厌恶,叶池的声音颤抖起来,"这些浆果有毒。它们叫做死亡浆果。如果你吃下一个,不仅会肚子痛,还会死掉的!到时候,巫医都帮不了你。"

松鸦羽明白,这样说并不完全正确。鼠毛曾跟他说过,有一次,栗尾误吃了死亡浆果,炭毛让她马上呕吐,结果把她救活了,但那也只是侥幸脱险。叶池不得不如此恐吓这些幼崽,好让他们连做梦都不敢靠近死亡浆果。

"既然这样,你们为什么还把它带进营地呢?"黛西不满地说道。

"因为火星想用它们来杀死那条蛇。"叶池回答说,"我要确保每只猫都知道不能靠近它们。"

"听到了没有?"米莉厉声对幼崽们说道,"好好看清楚,以后看到它们,才能辨认出来。"

"我们会小心的。"小玫瑰一副十分害怕的样子。其他幼崽都低声咕哝着表示同意。

"狐爪?冰爪?"叶池追问道。

"我们会记住的。"狐爪说,"我们不会碰它的。"

"我们到森林里去的时候,也会留意的。"冰爪补充说。

"很好。那你们可以走了,但千万别忘记我所说的话。"说完,叶池便重新拖着那片包裹着死亡浆果的叶子走过营地。没走几步,她又停下来转向松鸦羽:"请到猎物堆给我拿只老鼠来。"

松鸦羽马上跑了过去,把一只老鼠带回了巫医巢穴。"这只老鼠又大又肥哦。"他说道。

"但我不是要吃它。"叶池抽动着尾巴说道,"这是给那条蛇吃的。我准备把死亡浆果塞进老鼠的肚子里。你把老鼠放到地上,并用脚掌按住它。"

"你的脚掌会中毒的!"松鸦羽大声说道。

"不会的,我打算用一根树枝把浆果推进老鼠的喉咙。"

松鸦羽用脚掌紧紧夹住老鼠的时候,能感觉到老师对她所做事情的厌恶。他几乎可以读懂她的心思。我是巫医!我的使命是救死扶伤,而不是杀害生灵!但是,当叶池把致命的浆果推进那只老鼠的身体时,他什么也没说。

他心想,如果我试图跟她说话,只会被她撕掉皮毛。

最后,叶池叹了一口气:"好啦,应该会有用的。我还把一些刺也插了进去。这些刺会从内部伤害那条蛇,然后,让毒素更快地扩散到蛇的全身。"

松鸦羽点头表示同意。他非常惊讶,老师竟然憎恨使用这样的技巧,并把杀死蜜蕨的那条蛇当成受害者。他一直感到奇怪,有些植物居然有害,而不是具有治疗作用。不知道是否还有其他

的……

　　叶池把准备好的老鼠放到叶子上，然后又把它拖到了空地上。接着,她朝尘毛搭建的黑莓屏障走去。狮焰和两名学徒正在那儿帮忙。

　　松鸦羽走到哥哥旁边,叶池则向尘毛解释她所做的事情。

　　"好主意。"黑棕色虎斑武士咕哝道,"我会把它放到蛇洞附近的屏障后面的。"

　　"千万要小心哦。"叶池警告他。

　　"我不会有事的。"尘毛说道。他安慰巫医的时候,声音听起来异常温柔。"瞧,我是叼着尾巴把它拿起来的。"松鸦羽听到他跳过屏障,一会儿之后又跳了回来。"好啦,都做好了。"他又转身对助手说道,"对了,你们还在等什么? 快来搭建屏障吧。"

　　回到巫医巢穴后,松鸦羽和叶池把其余的死亡浆果包在了叶子里。"我们最好把它们储藏起来,万一第一次没把那条蛇杀死呢? "叶池解释说,"我不喜欢这样,但是——"

　　突然,一阵号哭声打断了她:"叶池! 叶池! "

　　"什么事啊? "松鸦羽抱怨道。

　　年轻武士撞过黑莓帘的时候,他闻到了桦落的气味。"叶池,你得马上过来! "他喘着气说道,"白翅觉得肚子痛。"

　　"好的,别害怕。"叶池站了起来,"我敢肯定不是什么严重的问题。也许她要生幼崽了。松鸦羽,把那片包着死亡浆果的叶子放好。"她轻轻碰了碰他,吩咐道,"就放在储药洞的后部,这样,大家才不会误拿。"

松鸦羽小心翼翼地把那片叶子推到自己前面，慢慢地来到储药洞后部，那里有一堆用过的折叠叶子和几堆枯萎的药草。"我得把这个地方清理一下。"他一边把死亡浆果推进最远的那个角落里，一边小声地说。

回到巫医巢穴的时候，他厌恶地抽动着胡须，皮毛上满是药草灰尘和有黏性的茎。他刚开始梳理一侧的毛发，叶池就回来了。

"白翅没事了。"她说，"她只是肚子痛。我给她拿几粒杜松莓过去。"她快速走进储药洞，出来时拿着一些用叶子包好的杜松莓。"我刚刚想起来，"她嘀咕道，"都是这些麻烦事惹的祸，我都忘记给波弟检查脚掌了。现在，你能不能去给他检查一下啊？"

"当然可以。"松鸦羽叹了口气，强迫自己再容忍一下一身肮脏的皮毛。他走进储药洞，拿了些蓍草药膏，然后向长老巢穴走去。

他来到榛树丛旁的树枝下，听到了波弟的声音。"我真不明白，你们以及今天来的那些族长，为什么都要针对日神。他们甚至要火星除掉他！"老虎斑猫听起来很是不安，"我说过，他是一只好猫。你们为什么就不相信呢？"

"波弟，其他猫告诉你日神在这里的所作所为时，你也不听啊。"鼠毛听起来好像耐心已丧失殆尽。

无论如何，她的耐心本来就不多，松鸦羽在长老巢穴旁停下脚步，心里想道。

波弟对此嗤之以鼻："不过，如果要我来告诉其他猫应该相

信什么，那简直就是愚蠢至极。如果他们不想听的话，可以不听啊。"

的确如此！松鸦羽抑制住内心的喜悦。波弟并不像一些猫想象中的那么愚蠢！

"星族对我们来说很重要，波弟。"长尾小声说道，"如果你和我们一起生活，你就会明白的。"

"天上的那些猫！"波弟再次嗤之以鼻，"如果我相信的话，那刺猬都会飞啦。"

"不管怎么样，"他继续说道，"这与火星怎样处理日神没有任何关系。像那样关押一只猫，是很残酷的。火星应该有所觉悟，让日神和其他族猫待在一起。"

这时，松鸦羽向前走去。他可以感觉到，鼠毛变得越来越愤怒了。因此，他想阻止一场争吵。一看到他，鼠毛就发出一阵不耐烦的喵呜声，然后走到巢穴中最远处的角落里蹲伏下来。

"嗨，波弟，我是来检查你的脚掌的。"松鸦羽说道。

"来得正好。"老猫抱怨道，"我的脚掌好像在燃烧一样。"他侧身躺着，把脚掌伸出来给松鸦羽检查。

松鸦羽仔细地摸了摸长老的脚掌。它们已经破裂了——也许是由于长途跋涉——并且摸起来又热又肿。"这种药膏会有用的。"他开始涂抹药膏，"尽量不要弄掉它们。学徒们会给你拿来新鲜猎物的。"

波弟长叹了一声："那更好啊。你或许只是一只瘦骨嶙峋、无足轻重的小猫，但你知道自己应该做些什么。"

　　"非常感谢。"松鸦羽说道,"我每天都会来的,而且——"他突然不说话了,因为长尾正伸长脖子舔他的皮毛。

　　"松鸦羽,那种药草……"

　　"什么药草?"

　　"别乱动。我不敢肯定,但是我想——鼠毛,你过来一下。"瞎眼长老说道。

　　"什么?"鼠毛听起来仍然很生气,但她还是走到松鸦羽身边,并开始舔舐他的毛发。然后,松鸦羽感觉到,她舔掉了粘在他身上的一根药草茎,并慢慢地咀嚼着。

　　"你在干什么啊?"松鸦羽问道。

　　"就是它!"由于惊讶,鼠毛的声音非常刺耳,"松鸦羽,这就是叶池混在艾菊中的那种药草!"

第二十章

松鸦羽吃力地扭动着身子,嗅闻仍粘在皮毛上的药草碎片。气味很浓烈,当他用鼻子顶着那些干草叶时,他感觉到,叶子的边缘有曲曲折折的皱痕。他不知道这是什么药草。叶池几乎从没用过它,也从没跟他提起过。

他快速地把著草药膏涂在了波弟的脚垫上。"应该没什么大碍了。"他说道,"我明天会多给你拿一些来的。"

说完,他便快速转过身,走出了长老巢穴,没有理会波弟的悲号。"这究竟是怎么回事?"波弟一副疑惑不解的样子。

松鸦羽跑回自己的巢穴,发现叶池正蜷缩在窝里。"叶池,什么——"他滑到她身边停下来,刚开口,又立即打住了话头。他想起了第一次询问巫医那种神秘药草时,她是多么的警觉。然后他思忖着,最好保持沉默,尽量自己去查明真相。

"松鸦羽,你为什么这么匆匆忙忙的啊?"叶池的声音听起来很疲惫,"我想在太阳下山之前小睡一会儿。今晚,所有的族猫都要为蜜蕨守夜。"

"对不起。"松鸦羽嘀咕道。令他宽慰的是,叶池并没有问他

为何要表示歉意。

"今晚是我们去月池的日子。"她继续说道,"看来,你得自己去了。我必须在这里守夜。"

松鸦羽点了点头。"好的。"他竭力让自己的声音听起来很平静。但实际上,他很想像一只兴奋的小猫那样来回蹦跳。叶池不和他一起去,他正好可以从其他巫医那儿了解一些有关神秘药草的信息。

他走过森林时,凉爽的晚风把光秃秃的树枝吹得嘎吱作响。他先前的那种兴奋感已经消失了。尽管他正自信地迈步向前,但内心却满是疑问。其他巫医会怎么议论日神呢?

来到山脊顶上时,他发现青面和隼爪正在小溪旁等待着。就在他快要走到他们跟前时,小云从影族方向跑了过来。闻到与小云一起来的那只猫的气味时,松鸦羽的耳朵立即惊讶得刺痛起来。"焰爪!"他惊叫道。

"你还记得我!"焰爪极其兴奋,"褐皮带着我和虎爪、曙爪到雷族营地去时,我见过你。我们是亲戚哦。"他骄傲地说道。

不,我们不是。一阵痛苦和失落袭上松鸦羽心头。他打心底里喜欢这三名勤奋的年轻学徒。

"现在,焰爪是我的学徒了。"小云说道,"今晚我将把他介绍给星族。"

"恭喜哦。"松鸦羽用尾巴抚摸着年轻猫的肩膀。他还记得,焰爪和同窝手足来到雷族营地时,是多么的失望。因为当时日神

已经让黑星相信,影族不再需要巫医了。而现在,焰爪能够从事星族为他安排的工作,并且看起来很开心,松鸦羽也同样为他感到高兴。所以,现在并不是告诉他真相的最佳时机。

永远没有最佳时机,松鸦羽心想。

其他猫相互问候之后,仍然没有看到河族巫医蛾翅和柳光的身影。

"我们不能再等了。"青面拿定了主意,"今晚还有很多事情要做呢。"

"也许她们会赶上我们的。"小云说道。

或许,蛾翅并不想长途跋涉,而只是去月池睡一觉,松鸦羽心想,她通常都派柳光过来。

巫医们爬下最后一道陡坡,朝月池周围的灌木丛走去时,身后突然传来了气喘吁吁的号叫声:"等等! 等等我们! "

松鸦羽转过身,闻到了蛾翅和柳光的气味。两只猫越跑越近,她们的气味也变得越来越浓。

到达悬崖底部时,蛾翅喘着气说道:"对不起哦。我们耽搁了一下,小花的眼睛被刺给扎伤了。"

"可怜的小东西。"青面嘀咕道,"希望你已经把刺弄出来了。"

"是的,我只是仔细地舔了一下,刺就出来了。"蛾翅回答说,"现在,我让她在育婴室里睡觉呢。"

"我不知道你是否试过这个方法。"小云说道,"但是,我一直觉得,白屈菜对眼伤很有用。滴一点儿白屈菜汁到她的眼睛里,

就能缓解疼痛。"

"哦,谢谢啦!"蛾翅惊声说道,"我还不知道呢。一回去我就试试。柳光,我们的储药洞里还有白屈菜吗?"

"好像有。"年轻猫回答说,"没剩多少了,但应该够用。"

"那我们继续走吧。"青面说道,"这简直是在浪费月光呢。"

松鸦羽爬下山坡,穿过灌木丛,来到月池所在的山谷边缘。他可以听到瀑布温和的流水声,也能想象出水面上斑驳的星光。

"我有话要说。"猫群在池边坐下来之后,青面说道,"松鸦羽,我知道,我们的族长去雷族谈过有关日神的事情。"

松鸦羽的肚子顿时收紧了。他急忙为即将发生的事情作准备。

"我想说,对于火星而言,这肯定是一件很难决定的事。"老巫医继续说道,"我认为,我们当中的任何一只猫都不能说清楚,这件事究竟是对还是错。"

其他巫医都低声表示赞同。

松鸦羽抽动着耳朵。他绝对没有想到,他们会这样说。大家的同情让他感到异常惊讶和感动。"这……还是由星族来决定吧。"他结结巴巴地说道。

"现在,是与星族交流的时候了。"松鸦羽听到小云站了起来,向水边走去,"但首先,我必须把焰爪介绍给武士祖灵。焰爪,你准备好了吗?"

"准备好啦。"他的声音听起来像是在尖叫。松鸦羽立刻感觉到,此时的焰爪既虔诚又惶恐。

"焰爪,"小云用那些古老仪式中使用的话语继续说道,"你是否愿意进入神秘的星族世界,成为一名巫医?"

"我愿意。"这只年轻猫已经控制住了自己的声音,但听起来还是有点儿兴奋。

"那么,请上前来。"

焰爪从松鸦羽身边走过,站到老师面前。

"星族武士在上,"小云说道,"我要向你们介绍这名学徒。他已经选择了巫医的道路。请你们赐予他智慧与洞察力,以便他能够理解你们崇高的事业,并按照你们的意愿,为族猫治疗。"他暂停了下来,然后,又小声地补充说:"焰爪,蹲伏下去,喝一口池水吧。"

焰爪喝水的时候,松鸦羽和其他巫医也把脖子伸出来,舔了几滴水。冰冷的池水流过喉咙时,松鸦羽不由得蜷缩起身子,试图放松自己。星族啊,求求你们了。他默默恳求着,请给我指明一条道路吧。你们有没有看到,雷族正在分崩离析?

然后,他睁开眼睛,发现自己正走在一条狭窄的森林小道上,茂盛的蕨丛在他头顶两侧弯成了拱形。阳光温暖地照耀着他的皮毛,斑驳的光点散落在他脚掌旁的草地上。但是,他看不见其他猫。当他嗅闻空气时,也只能闻到一股郁郁葱葱的绿色植物的气息。

"他们都去哪儿了?"他轻声嘀咕着向前走去。

突然,他听到前方的灌木丛中传来沙沙声,蕨叶不停地晃动起来。松鸦羽焦急地嗅着空气,但闻到的气味都不是他所希望

的。

一名年轻学徒突然进入开阔地,睁大眼睛左顾右盼,既兴奋又害怕,毛发也蓬松了起来。"焰爪!"松鸦羽惊叫道。

"噢,原来是你呀!"焰爪同样感到很吃惊,"我们这是在哪儿啊?这就是成为巫医之后,该发生的事情吗?"

"冷静下来。"松鸦羽回答说,"这很正常。"

老鼠屎!他在心里嘀咕着。我正在他梦里!可这有什么用呢?

"我还以为能见到虎星呢。"焰爪承认道,明亮的眼睛好奇地向小路两旁张望,"他是我的血亲,我听说过很多关于他的事情呢!"

"我不确定虎星在哪儿。"松鸦羽小心翼翼地回答说,并没有把黑暗森林的事告诉新学徒,"但见到任何一名星族武士,你都应该感到高兴。"

"我知道,但是……他们见到我也会同样高兴吗?"焰爪蹲伏下来,看起来很害怕,"我不知道该和他们说些什么!"

松鸦羽用尾巴尖摩挲着学徒的肩膀。"当你见到他们时,自然就知道了。"他回答道,"你只需听他们说就行。"

焰爪用怀疑的目光看着他。然后,他坚定地站起来,沿着小路离开。"再见了。"

现在,我倒是希望看到任何一名星族武士,松鸦羽心想,他们是在故意躲避我吗?

他沿着与焰爪相反的方向走去,来到了一块空地上。芬芳的药草生长在一个小水池周围。他记得,他以前和斑叶在这里说过话，但现在，他却没见到那名巫医的踪影。

松鸦羽跑到水池旁，并朝里面看了看，顿时惊呆了。虽然太阳还没下山，但绿色池水的深处，却有无数星星在闪闪发光。

"你们在下面干什么呢？"他抓挠着脚下的草丛大叫道，"快出来跟我说说话啊！"

唯一的回答是眼前出现的一片厚厚的、令人窒息的黑暗。由于辨认不清方向，他摇摇晃晃地走着，然后发现，自己的爪子是在石头上刮擦，而不是在草地上。再次醒来时，他又回到了月池旁边。周围的巫医们也开始起来了。

松鸦羽还在为梦境而沮丧担忧。他和其他猫一起站起来，爬上了那条螺旋式小径。当他们爬下岩石斜坡，来到高沼地上时，他发现自己正走在小云身后。

"我认为，焰爪第一次做得很好。"影族巫医说道，"他见到了夜星，我们在旧森林时的族长。"

"很好。"松鸦羽说道，但他并没提到自己在梦中见到了那名年轻学徒。

"我想，他一定会成为一名很棒的巫医。"小云继续说道，"他已经了解很多药草了。"

药草！由于不顾一切地想与星族猫见面，松鸦羽竟然忘记了自己打算问的那个问题。

"我偶然发现了一种药草。"他开始说道，"但我不知道它是什么。"求求你了，星族，不要让他们怀疑，我为什么不去问叶池！

"什么样的药草啊？"小云问道。

"它有一种浓烈的气味,而且叶子上有褶皱。"松鸦羽说道。他真希望可以告诉影族巫医这种药草是什么样子的。但即使亲眼见过,恐怕那枯萎的茎也不能让他想象出新鲜药草是什么样子的。"把它放在皮毛上,你会感到像霜一样冰冷。它的干叶子吃起来也像草一样新鲜。"他想到鼠毛跟他说过的话,又补充道。

"嗯……"小云若有所思地向前走去,"我觉得听起来有点儿像西芹。叶子的形状非常奇特,边缘是浅浅的爪形,而且新鲜的叶子和干枯的吃起来一样。"

"它有什么用途呢?"松鸦羽尽量不让自己的声音流露出兴奋之情。

"没什么大的用途。"小云回答说,"但如果幼崽早夭了,哺乳期中的猫后可以用它来断奶。"

松鸦羽突然停下了脚步。

他心想,也许幼崽并没有死,而是送给了其他的猫!

他的心狂跳起来,仿佛即将冲出胸膛。他所收集的那些关于自己身世的零碎信息,突然间拼凑在一起,形成了一幅可怕的画面。

"你没事吧?"小云关心地问道。

"什么? 哦——是的,我没事。"

松鸦羽再次强迫自己向前走去。他心里很乱,并且充满了闪烁而过的光亮。到达雷族领地的边界时,他几乎忘记了跟其他巫医道别。

他一直听说当时松鼠飞没有奶水,因此才让香薇云和黛西

给他们三个喂奶。这说明松鼠飞并不需要吃西芹。因此，一定是我们的生母不得不吃它，以便隐藏身份！

记忆把松鸦羽带回到小时候他在雪地里挣扎时的情景。他必须回忆起那个场景！仔细地想了想那些气味之后，他对自己说。那就是答案之所在。以前，他的嗅觉从没让他失望过，现在也不会让他失望。

他身旁，一只猫正慢慢地走过雪地，皮毛上有奶水的气味。不是松鼠飞——不可能是松鼠飞。突然，松鸦羽深深地吸了一口气。确切地说，他已经知道那只猫的气味了。

所有的事情都逐渐明朗起来。哪只猫可以信赖松鼠飞到如此地步，并且确信她会一直欺骗下去，甚至不惜对自己的配偶撒谎呢？哪只猫一直对他和哥哥姐姐倾注爱和关心呢？哪只猫永远不能承认她生过幼崽呢？

叶池！叶池就是我们的母亲！

第二十一章

长老们和波弟把蜜蕨的尸体抬出营地时，冬青叶在雾蒙蒙的黎明中疲惫地眨着眼睛。太阳已经躲了起来，天空中布满了厚厚的阴云，微风吹来雨的气息。去往埋葬之地的路上，所有族猫都默默地站在一旁。

长老们从荆棘通道中消失后，黑莓掌便开始安排巡逻。冬青叶看到，栗尾悲痛地朝武士巢穴走去。她低着头，尾巴拖在尘土中。冬青叶马上跟在她后面跑过去，在荆棘树丛旁追上了她。

"我也很难过。"冬青叶说道，"我一定会想念蜜蕨的。"

"我们都会想念她。"栗尾悲伤地哽咽起来，"她是那么的温和、那么的聪明！在成为学徒之前，她就掌握了大多数狩猎的动作。"

"跟她一起玩总是很有趣。"冬青叶用鼻子摩挲着栗尾的肩膀。

栗尾眨了眨眼睛："她喜欢和你以及你的兄弟在一起，而且总是担心你们没有足够的奶吃，因为松鼠飞没有奶喂你们。"

一听到她曾经一直认为是自己母亲的那只猫的名字，冬青

叶就生起气来。但是,她尽量让自己保持平静。现在,最重要的事情是安慰栗尾,而不是去想那个谎言。

"那不是松鼠飞的错。"玳瑁色武士继续说道,她明显误解了冬青叶恼怒的原因,"你们都得到了很好的照顾。香薇云和黛西精心喂养了你们,而且,叶池从来没有离开过育婴室,她把琉璃苣叶以及所有能够找到的有用药草,都拿给她们催奶!"

"叶池做了所有的事?"冬青叶问道。

"是的,她总是在为你们担忧!也许是因为你们是她姐姐的孩子,又或许是因为你们最初来到石头山谷时,她就和你们在一起。"

"我不知道是这样呢。"冬青叶感到皮毛一阵刺痛。如果叶池一直都和我们在一起的话,那她肯定知道我们的生母是谁!

栗尾点了点头,伸了一个长长的懒腰。"我去看看,我是否可以睡一会儿。"她小声说道,"也许蜜蕨会进入我的梦境。"

栗尾一消失在武士巢穴里,冬青叶就四处寻找巫医。她曾发誓,永远不再询问松鼠飞任何有关她生父生母的事情。她不想再跟那只一直对她撒谎的猫说话。但是,也许叶池会告诉她真相。

当她看到叶池正在营地入口处与火星说话时,就从他们身边走过去,并在不远处徘徊,以便寻找与巫医独处的机会。

"你整晚都在守夜,已经精疲力竭了。"火星说道,"为什么不到森林里呼吸一下新鲜空气呢?舒展一下腿脚,再找个安静的地方睡一会儿,没有猫会打扰到你的。"

"现在,我不应该离开族猫……"叶池摇头说道。

“松鸦羽已经从月池回来了。”火星提醒道，“你可以离开一会儿。”他俯下身子，充满爱意地与叶池碰了碰鼻子，“我可以应付这里的事情。”

叶池打了个哈欠：“好的，火星，但我会在中午之前回来。”

“你想去多久都可以。”火星点了点头，走开了。

冬青叶一直等到叶池走出荆棘通道，才跟着她进入了森林。巫医一眨眼的工夫就消失了，但冬青叶循着她的气味一路追踪，一直跟到那个可以眺望湖面的光秃秃的斜坡顶上，才过去与她会合。叶池坐在那里，尾巴绕过脚掌，眺望着湖水。

冬青叶走到她身边时，她吃惊地跳了起来：“冬青叶！你在找我吗？”

“是的，我——我想问你一些事情。”现在，时机已经到了，但冬青叶却不知道该怎么办。这个答案可能会永久地改变她的生活。那是她自己想要的吗？但她心想，我必须知道真相！

叶池警惕地闪动着眼睛：“那么，你问吧。”

或许，她觉得我们已经知道那个谎言了！冬青叶猜测着，心里一阵慌乱。松鼠飞肯定已告诉过她，那天在悬崖上发生的事情了。

“怎么了？”叶池追问道。

冬青叶深深地吸了一口气：“把你知道的事都告诉我吧，所有的事。我必须知道真相！”

叶池琥珀色的眼里霎时满是悲伤。她向冬青叶走近一步，摆动着尾巴，好像要把它放到年轻猫的身上。但是，她并没有那样

做。

"你不必担心。"叶池说道,"我永远不会跟任何一只猫说的。但是,请告诉我,你为什么要那样做?"

冬青叶感觉仿佛有一大块新鲜猎物卡住了喉咙。她并没有想到,她们之间的谈话会是这样。"我做了什么?"她强忍着泪水说道。

叶池长叹一声,闭上双眼,好像得给自己打气,才能把要说的话说出来。然后,她再次面对着冬青叶。

"你为什么要杀死蜡毛?"

不!冬青叶拼命将爪子插入地里。那不是她该问的问题!叶池不可能知道这些!她想要开口说话,却没有可以否认的理由。

"我已经知道真相了,冬青叶。"叶池温柔地说道,"我为蜡毛守夜、处理他的尸体时,发现他爪子里有一簇你的毛。但是,我把它藏了起来,没有猫会发现的。我认为,我是想对自己隐瞒这件事。"她停下来,吸了一口气,继续说道,"你能告诉我,你这样做的原因吗?"

"他必须死!"冬青叶愤怒地咬紧牙关,嘶喊道,"你知道这是为什么!"

"不,我不知道!"

叶池的眼神让她异常困惑。然后,她意识到,松鼠飞一定从未跟巫医说过,她已经把那个可怕的秘密泄露给蜡毛了。

"因为他知道了秘密,他必须死!"冬青叶厉声说道,"在那个风雨交加的夜晚,松鼠飞在悬崖上告诉蜡毛,我们不是她的孩

冬青叶!
你在找我吗?

是的, 我——
我想问你一些事情。

那么, 你问吧。

……

怎么了?

把你知道的事都告诉我吧。
我必须知道真相!

你不必担心。我永远不会
跟任何一只猫说的。但是,
请告诉我,你为什么要那样做?

我做了什么?

你为什么要杀死蜡毛?

子。蜡毛准备在森林大会上把这件事告诉所有的族群猫。我不能让他那样做！大家一直认为，我们三个是真正的雷族猫，跟他们一样，是在森林里出生的。我不能让族猫知道真相——火星的族群血统并没有他们所想的那么纯正。蜡毛会毁掉雷族的！"

她说话时，叶池的眼睛睁得更大了。"噢，星族，不！"她小声说道，"这全是我的错……"

冬青叶头脑中一片恍惚。她只知道，一只知道真相的猫正站在她面前。"松鼠飞已经跟你说了有关我们的事，对吧？我们第一次来到石头山谷时，你和我们在一起。你肯定知道，谁是我们的生母。"

叶池平静地面对着她："是的，我知道。"

"那么你必须告诉我，求求你了！"

叶池沉默了一会儿。然后，她站起身，眨了眨眼睛，绷紧肌肉，仿佛要跳过一个深坑似的。不久后，她开口说话了。

"我就是你的母亲，冬青叶。松鼠飞一直在尽力保护我。"

有那么一小会儿，或者是很长一段时间，叶池一直定定地盯着她。不，不可能！但是，冬青叶知道，叶池说的是真话。

冬青叶猛地转身跑开，结果在枯叶上滑了一跤，滚到了斜坡底部。

她费力地站起来，竭尽全力跑到远离山谷的地方。她不知道该去哪里，只是想要逃离谎言，摆脱嘴巴里蜡毛的血腥味儿。

这一切都是徒劳！我是为了救大家才那样做的，但这没用了！一切都毁了……

第二十二章

　　松鸦羽在深及肚腹的雪地里挣扎着，脚掌间塞满了冰冷的雪块，每走一步都非常疼痛。另外一只猫就走在他前面。他认出了她白色的虎斑皮毛，便大声呼喊着她的名字，但她就是不回头。然后，他脚下的雪地不断塌陷，他一直下坠，下坠……

　　突然，他在自己的窝里醒了过来，作为垫褥的草被他的四肢踢得到处都是。他站起身，心还在为梦境而狂跳。他听到叶池正在储藏室里四处乱翻。一阵刺痛从巫医身上散发出来，是如此的强烈，以至于他一时间还以为她是在大声尖叫。

　　松鸦羽一下子跳了起来，朝洞口走去。绝望的火焰在他胸中燃烧。他想问问巫医，她是否真的是自己的母亲，但他不能无视巫医身上那极度的痛苦。"叶池？"他说道，"你怎么啦？"

　　叶池后退着从储藏室中走了出来。"我……我跟冬青叶说了一些不该说的事情。"她坦白说道。

　　松鸦羽马上明白了。现在，所有的秘密就像决堤的洪水般倾泻出来。他疑惑地抬起头，问道："你告诉冬青叶，你就是我们的母亲，对吗？"

WARRIORS
猫武士

他听到叶池惊诧得倒吸了一口凉气。巫医说道:"你知道这件事多久了?"

"我之前一直都不知道。但是,我已经把所有的事情联系起来了,到昨天晚上,一切都有了头绪。松鼠飞对生育我们的那只猫如此忠诚;我自己走过雪地的模糊记忆;你对待我们三个的态度;还有鼠毛偶然记起的西芹和艾菊的混合物。西芹是用来给哺乳期的母亲断奶的。你当时肯定就是用它来给自己断奶。"

松鸦羽说完之后,出现了很长一段时间的沉默。他几乎可以听到自己的心跳。

"如果你已经知道了这么多,"叶池最后说道,"那你知道接下来发生了什么事吗?"

"不知道。"松鸦羽强烈地感觉到,叶池还想跟他说一些其他的事情。但是,她却一直沉默不语。他想进入她的记忆,弄清楚她想说的到底是什么,但他不敢这样做。他对可能会发现的秘密有种不好的感觉。

"你必须帮帮你的手足们。"叶池的声音既刺耳又急迫,"为了雷族,你必须学会面对这个事实。"

你无权告诉我们应该怎么做。但是,松鸦羽没有大声说出这句话。叶池的话有一部分并没有错。他们迟早得为这件事找到出路。

"求求你了。"叶池说道,声音里透露出一股绝望,"在其他事情发生之前,你必须先找到狮焰和冬青叶。"

还有什么更糟的事情呢?松鸦羽问自己。于是他点头退出了洞穴。他知道，叶池正在为她的孩子——三个孩子——担心，就像雷族出现麻烦时，她也会担心一样。

他嗅了嗅空地上方的空气，发现狮焰正叼着满嘴的猎物向猎物堆走去。松鸦羽向他跑去，并猛地抬起了头，说道："把猎物放下，跟我来。我们得谈谈。"

他可以感觉到狮焰的困惑，但哥哥并没有反对，只是把猎物放到猎物堆上，然后便和他一起向营地入口走去。

"冬青叶在哪儿？"松鸦羽问道。当他意识到这个新消息对他们当中最坚强的那只猫也会构成伤害时，突然感觉即将发生的灾难离他们更近了。武士守则对冬青叶的意义非常重大！

"不知道。"狮焰回答说，"我想，她已经离开营地了。守夜结束后，我就没再见过她。"

他们走出荆棘通道，进入森林时，松鸦羽说道："我们得去找她。她……她发现了一些秘密，可能很不安。"

"发现了什么？"

"找到冬青叶之后，我再告诉你吧。"松鸦羽抬头嗅了嗅空气，开始寻找姐姐的气味。

"你必须现在就告诉我。"狮焰坚持说道，"难道秘密还不够多吗？就连我们三个好像都无话可说了。"

松鸦羽转过身面对着他说道："叶池就是我们的母亲！"

说完之后，他感到震惊犹如一道闪电，从哥哥全身掠过。"我不相信！"狮焰喘着气说道，"她是巫医。这是不可能的！"

"你最好还是相信吧。"松鸦羽阴郁地说，"她亲口对我说的。

我们现在必须决定该怎样处理这件事。"

他们尽力循着冬青叶复杂的气味踪迹，在森林中搜寻了很长时间。最后，他们在一个布满苔藓的斜坡顶上发现了冬青叶。松鸦羽向她跑去时，感觉到了她的紧张。"冬青叶，我们需要谈谈。"他说道。

"没什么好谈的。"冬青叶的语气并不友好。松鸦羽可以断定，她没有转过身来面对他和狮焰。相反，她只是遥望着湖水，好像答案就隐藏在波浪中一样。"我们必须查明，谁是我们的亲生父亲。那样的话，所有的秘密就都解开了。"

"什么意思啊?"狮焰跑到他们身边，"现在，还没有猫知道谁是杀死蜡毛的凶手，除非日神自己认罪。这肯定是个族猫不会放过的秘密。"

"太糟糕了。"冬青叶不屑地说道。但松鸦羽发觉，她的内心又出现了一阵紧张感。"还有比这更重要的秘密呢。我们必须知道，谁是我们的父亲。"

"你说得对。"松鸦羽表示同意，心里却越来越好奇，"但是，只凭我们三个，不会那么容易找到他的。你问过叶池吗？"

"没有。我觉得，即使我们问她，她也不会说的。"

松鸦羽意识到，她说得没错。既然叶池已经保守这个秘密这么久，她现在肯定也不愿说出真相。一旦族里其他猫知道了她所做的事情——他们一定会知道的，因为松鸦羽想不出有什么办法可以长久地保守秘密——她的生活一定会被彻底毁掉。她绝

对不会让这样的事情发生在另一只猫身上。

"等等，"狮焰说道，"我们真的想这样做吗？"

"你是个鼠脑袋吗？"冬青叶嘶喊道，"连自己的父亲都不知道是谁，你愿意这样度过余生吗？"松鸦羽听到，她的爪子正在撕扯着苔藓，"我可不想！"

"好好想想吧。"狮焰在松鸦羽旁边坐下，"我们永远不想让这个秘密泄露出去。既然蜡毛已经死了，秘密就不会泄露了。叶池不会告诉任何一只猫真相的。"

"但我想知道！"冬青叶突然用尾巴用力地抽打地上的枯叶。

"为什么？"狮焰争论道，"如果我们保持沉默，一切都会像从前一样，风平浪静。"

如果你相信这一点，那刺猬都会飞啦。松鸦羽心想，但他什么都没说。

"你们还没意识到，这意味着什么吗？"狮焰继续说道，声音变得更加激动，"叶池是我们的母亲，火星是她的父亲。我们仍然是预言的一部分！"

第二十三章

　　狮焰悄悄地溜出营地,进入厕所附近的通道,顺着石头山谷边缘向前走,一直来到他和弟弟妹妹差点儿就被活活烧死的地方。他还记得,那是一个风雨交加的夜晚。现在,草地仍然是黑黑的,烧焦的树枝残骸散落一地。一想起那束跳跃的火焰,以及蜡毛发狂的眼神,狮焰就不寒而栗。

　　头顶上,月亮悬挂在湛蓝色的天空中,正渐渐趋向满月。没有云朵的遮挡,繁星环绕在月亮周围,发出了灰白色的光芒。伟大的星族啊,难道这意味着你们同意我现在的做法吗?狮焰默默地对武士祖灵说道。当他意识到,他和弟弟妹妹仍然是预言的一部分时,就已经做出了这个计划。但是,他又花了一天时间才决定付诸行动。不管你们怎么想,我必须这样做!

　　他俯视着石头山谷,可以看到荆棘丛,日神就关在那里。桦落正蜷伏在树枝下看守他。那些浓密交错的树丛挡住了狮焰的视线,使他看不到那只泼皮猫。但当他嗅闻空气时,日神的气味飘进了他的鼻子。

　　"很好。"狮焰低声说道,"行动吧!"

他一步步地顺着悬崖表面往下爬,每次都要先踩稳,然后再迈出下一步。他不只是害怕会掉下去。如果他踢掉一块石头,或者脚底打滑,就不得不奋力挣扎,这样就会惊动桦落。有一次,他碰到缝隙中长出的一丛稀疏的灌木,顿时惊得手足无措。还有一次,一团沙子从他爪子下泻出,噼里啪啦地落到营地里,他也吓愣了。但好在桦落并没有发现。

站岗时打盹?狮焰感到异常疑惑。

好像过了很长时间,他才轻轻地跳下最后一段距离,到达灌木丛边的地面上,他的腿一直在发抖。他迅速地扫了一眼沉睡中的桦落,然后爬到灌木丛中。

借着透过树枝的昏暗月光,他看到,日神正蜷缩在一个铺满苔藓的窝里,尾巴裹着鼻子,腹部随着睡眠时的呼吸有规律地起伏着。狮焰悄悄地向他走去,戳了戳他的肩膀。日神迅速地睁开了眼睛,有那么一会儿,狮焰觉得,自己在他琥珀色的眼睛中看到了惊慌的神色。日神张开了嘴巴,但泼皮猫还没来得及说话,狮焰就用尾巴封住了他的口鼻。

"别出声!"

日神点了点头,然后,狮焰便把尾巴移开了。

"对不起,狮焰。我还以为那条蛇又来了呢。"日神重新镇定下来。狮焰几乎听不清他那低沉的声音。"我能帮你什么忙吗?"

"我……我要和你谈谈。"现在,狮焰已经能与这个雷族囚犯面对面地说话了,但跟日神说他想说的事情,却比他预想的困难得多,"我已经知道,我的母亲不是我一直认为的那只猫,但是,

我需要弄清楚，这是否会影响到那个预言。"

"好的。"日神轻声说道。他站起身，开始抖落皮毛上的苔藓："帮我离开这里，你就可以知道了。"

"我——我不能那样做！"幸好狮焰还记得压低声音。

"你可以的。你肯定是爬下悬崖来到这儿的，桦落并没有看到你。你可以带我爬上去。我没有杀死蜡毛，你知道我没有。"

"对雷族来说，你是唯一可能杀害他的猫。"狮焰反驳道。他不敢确定自己是怎样想的。他不能忘记，日神是如何承诺帮他实现预言的——现在，他是多么需要这只泼皮猫的帮助啊——但是，他也感到害怕，因为让日神逃走是背叛族群的表现。

"如果你不肯帮我，我为什么要帮助你呢？"日神用炯炯有神的琥珀色眼睛盯着他，然后默默地舔了舔一只爪子，开始洗脸。

狮焰沮丧地盯着他，心想，我不能让他说出实情，也不能给他出路。

"那好吧。"他低声说道，"我走了。我不能帮你逃走，因为这会造成太多的麻烦。"

"给你造成麻烦？"日神问道。

"不，是给我们的族群。"狮焰小声说道。他很容易想象到，如果其他族长听说日神逍遥法外时会怎么说。他们一定会责备雷族的。他趴到地上，准备扭动身体，从荆棘树枝下爬出去。

"等一下！难道你不想知道，你的父亲是谁吗？"

狮焰急忙停了下来，并转过身："难道你知道？"

"当然。"日神用一只爪子挠着耳朵。

"是谁？"狮焰的心中不停地翻腾。

日神的眼睛里闪烁着戏谑的光芒："天下没有免费的午餐，只要你把我放出去，我就告诉你真相。"

"我怎么知道你是否值得信赖呢？"狮焰的声音比自己预料的要大。这时，一阵脚步声从洞外传来，他顿时吓呆了。

"日神？"桦落叫道，"你没事吧？"

日神没有吭声，只是不停地颤动胡须。突然，一只蚂蚁爬进了狮焰的皮毛，但他竭力屏住呼吸。要是被发现了，火星会剥掉我的皮，扔给乌鸦吃的！

"日神？"桦落又焦急地叫了一声。

"我没事，桦落。"泼皮猫回答说，"我刚才是在自言自语。"

"好的，晚安。"

听到桦落重新坐了下来，狮焰终于松了一口气，但他仍然紧张得全身发烫。

"你当然无法知道我是否值得信赖。"日神继续说道，听起来很兴奋的样子，"你不可能知道。但知识就是力量，狮焰，目前，我比所有族猫知道的都多。"

"好吧。"狮焰慢慢地说道，"我会带你出去的。但是，你必须告诉我有关我父亲的事情，并且给我一些有关预言方面的建议。"

日神点了点头："放心吧，你可以相信我。"

无论如何，值得一试……"好的，跟着我。"狮焰小声说道，"我走哪里，你就走哪里。攀爬很复杂，而且要做到不被发现，还

要难上十倍。"

他穿过荆棘树丛,日神紧随其后。然后,他开始费力地往上爬。悬崖好像在他头顶上方不断延伸。明亮的月光下,他们伸展开身子,攀附在岩石上。狮焰简直不敢相信,空地上没有传来喝问的吼声,竟然没有一只猫发现他们!最后,他爬到悬崖顶上,然后回过头,等日神爬上来。

泼皮猫吃力地翻上山谷边缘,大口地喘着气。然后,他用尾巴示意,让狮焰跟随他从边缘上走开,并在不远处停了下来。

"怎么样?"狮焰问道,"现在你自由了,赶快履行承诺吧。"

"不能在这儿。"日神回答说,"这里太危险了。还有,如果你离开太久,一定会有猫发现你失踪了的。你应该马上回武士巢穴去。"

"但是,你承诺过的!"

"我会信守诺言的。"日神向影族领地的方向偏了偏耳朵,"我去影族边界外的旧两脚兽巢穴等你。尽快带着你的弟弟妹妹来找我吧。"

"好的。"因为沮丧,狮焰的胃里一阵翻腾,"但是,你最好在那儿等我。"

日神鄙夷地抖动着尾巴。"我会的。"说罢,他转过身,朝影族边界跑去。

狮焰一直看着他,直到灌木遮住了他带有斑点的皮毛。然后,他滑到下面的荆棘屏障,沿着来路返回营地。他希望没有猫问他,为什么上个厕所用了这么久。

我没有做错什么,他为自己辩解道。冬青叶说过,我们必须查明我们的父亲是谁。更重要的是,日神是唯一能够帮助我们实现那个预言的猫!

"火星!火星!"狮焰被桦落的吼声惊醒了。武士巢穴中,他周围的族猫都醒了过来。

"是不是遭遇袭击了?"亮心的毛发立即直立起来,"桦落听起来很慌张!"她快速地爬了起来,跑进空地,云尾紧随其后。

"火星!"桦落的尖叫声听起来就在武士巢穴外。

"他到底怎么了?"尘毛抱怨着,然后站起来抖掉皮毛上的苔藓,"难道我们都不能在这里睡个安稳觉吗?"

更多的武士跑了出去,大声质问到底发生了什么事。狮焰非常清楚桦落为什么惊慌,但他意识到,他必须让自己看起来和族猫一样不安。他马上跳起来,穿过树枝,来到灰暗的曙光下。空地的周边仍然一片黑暗,地面上布满了霜。

火星从岩石上跑了下来。桦落跑过空地,在岩底迎接族长。

"火星!"年轻武士喘着气说道,"日神逃跑了!"

火星的耳朵立即竖了起来,连忙跑向荆棘丛,把头伸了进去。桦落气喘吁吁地跟在他身后。更多的雷族猫跟了过去,狮焰也和他们一起跑过去,想弄清楚他和日神攀爬的悬崖底部是否留下了他的气味。

"他真的跑了?"火星从灌木丛中退出来时,黑莓掌跑到他身边问道。

火星点了点头。

"嘿,悬崖上有印记!"榛尾伸出脚掌,指向一处有几块卵石脱落了的地方,"日神肯定是从这里逃走的。"

"如果你们问我我现在的想法,我会说谢天谢地。"云尾猛地一甩尾巴,低声咆哮道,"我们好像并不能永远把他关在这里。"

大家嘀咕着表示赞同。狮焰在很多猫的眼中看到了欣慰的神情。

"你不打算追捕他吗,火星?"沙风问道,"他已经给我们制造了太多的麻烦,他杀死了蜡毛,我们怎么惩罚他都不为过。"

"他明显有罪。"蛛足插嘴说道,"否则,他不会冒着生命危险爬悬崖逃跑。"

火星看起来若有所思。这时,刺掌说道:"蛛足说得对。他肯定害怕极了,不知道我们会怎样处置他。我们就当作是已经好好地教训过他了!"

火星走到离关押日神的洞穴几步远的地方,扫视着周围的猫。"你说得对。"他最后说道,"我们希望日神已经明白,族群不容侵犯。恐怕他再也不敢越过任何边界了。黑莓掌,我们暂时把巡逻队员增加一倍,直到确定他已不在领地里。"

"没问题,火星。"副族长轻快地点了点头。

"那你怎么跟其他族群说呢?"灰条问道,他琥珀色的眼睛里流露出担忧的神情,"如果我们说他逃跑了,他们会认为雷族太无能,看不住他。而且,他们可能会责备我们让他出去制造更多的麻烦。"

火星抽动着耳朵:"我会告诉其他族群,我们把日神从领地上驱逐出去了,并且让他承诺永远不再回来。"

"但那不是真的。"沙风看起来很不安,"我们应该说谎吗?"

"好像他们总是告诉我们真相似的!"云尾厉声说道。

"我认为沙风说得对。"亮心插话道,并狠狠地瞪了伴侣一眼,"要是日神还在附近的话,那怎么办?其他族群会怎么看待我们?"

火星犹豫了,眼睛定定地盯着脚掌。然后,他抬起了头。"一切都按照我说的去做。这都是为了雷族。"他说道,"我们要证明,雷族是强大的,是忠于武士守则的。而且,我们只是在用自己的方式处理族群内部的事情。但是,我们要确保日神没在附近闲逛。"

猫群渐渐散开,黑莓掌开始安排巡逻。这时,狮焰看到冬青叶站在空地边缘,眼睛像绿色火焰一般,但是很难看出她在想些什么。

他悄悄地从沙风和榛尾身边溜过,向冬青叶走去。"我得跟你说些事。"他轻声说道。

冬青叶好像并没有听见他的话。"日神逃走了!"她伸缩着爪子嘶喊道。

狮焰分辨不出她到底是高兴还是难过。很多族猫都在附近,他不敢告诉她真正发生了什么。"松鸦羽在哪儿?"他问道。

冬青叶抽动了一下耳朵:"我怎么知道啊?"

　　"我会去找他的。"狮焰说道,"冬青叶,你现在就到森林里去,在学徒训练场地和我们会面。不要争辩!"当冬青叶张开嘴巴时,他又补充说:"就这样吧。这很重要。"

　　妹妹的眼睛骨碌碌地转着,她开始向营地入口走去,随即便消失在阴影中。狮焰确认她已经上路之后,便朝巫医巢穴走去。但他还没走到那儿,松鸦羽就从育婴室里出来了。狮焰急忙跑到他身边。

　　"那些号叫声是怎么回事啊?"松鸦羽问道。

　　"日神逃走了。"

　　"逃走了?"松鸦羽惊讶地瞪大了眼睛。然后,年轻巫医嗤笑道:"这下可好了。"

　　"我们得谈谈。"狮焰低声说道,并转过头,向分派巡逻队的地方看去,"跟我一起到森林里去。我们将在学徒训练场地和冬青叶会面。"

　　让他欣慰的是,松鸦羽并没有争辩。"我会跟叶池说,我要去找蓍草。我们已经没有那种药草了,但波弟的脚掌还没好。"说完,他便疾步向巫医巢穴走去。

　　狮焰没有等他。他们三个最好分头离开。虽然他憎恨这种欺骗行为,但还是悄悄地跟在一个刚刚出发的巡逻队后面,走出了营地。沙风就在巡逻队的前方。一进入林子,他便放慢了脚步,还假装脚垫被刺扎伤了。这样一来,万一被其他猫看到也无妨。巡逻队一消失,他就立刻向学徒训练场地跑去。

　　冬青叶正蜷伏在山谷中的一条树根下。狮焰跑过来时,她问

道："你怎么啦？"

"我们等一下松鸦羽吧。"

过了一小会儿，狮焰就听到灌木丛中传来了一阵沙沙声，然后便闻到了弟弟的气味。松鸦羽从高高的草丛中钻了出来，走到他们身边。

"现在，你可以告诉我们发生什么事了吧？"冬青叶问道。

狮焰尽可能简短地向他们讲述了他与日神的谈话，以及他带着泼皮猫爬上悬崖的事。"日神已经去了他以前居住的旧两脚兽巢穴。"他最后说道，"我们必须去那里，这样他就可以告诉我们，我们的父亲是谁了——"

"你是不是脑子进水啦？"冬青叶甩了一下尾巴，低声咆哮道，"你竟然帮一个雷族囚犯逃走？这跟武士守则是完全背道而驰的！如果火星知道了，你认为他会怎么做？"

"他不会知道的。"狮焰坚定地回答说，"你不是想查明真相吗？现在我们能做到了。你们要不要和我一起去？"

松鸦羽看起来很是不安，但还是点了点头。"我们会去的。"他轻轻地推了推冬青叶，"没有理由抱怨这件事。你知道的，我们没有任何选择。我们不能忍受只知道一半真相。况且，这看起来好像是查明真相的唯一机会。"

他们来到影族领地的边界，跑进那片不熟悉的森林时，太阳已经升到了树顶上方。自从上次来到这里，已经过去了很长时间，狮焰也不敢肯定他们是否走对了路。但是，日神的气味可以引领着他们前进。

日神好像是径直来到了这个旧巢穴。因此,或许他确实打算信守承诺。

最后,旧两脚兽巢穴那破旧不堪的墙壁终于出现在他们的视野中,它隐藏在高高的结籽柳药草、凤尾蕨和蓟丛中,几乎看不到。日神的气味强烈而新鲜。狮焰领着弟弟和妹妹走到入口处,往巢穴里窥视。石地板的缝隙里长出了杂草,墙角里满是蜘蛛网。

"日神?"他叫道,"你在吗?"

"欢迎你们。"声音从狮焰头顶上方传来。他抬起头,看到日神正坐在一堵墙的顶端,从墙外伸进来的冬青树枝半遮着他。

泼皮猫站了起来,然后跳到三只猫身旁。"欢迎。"他又说道,"我看到你们——"

"我们是来弄清真相的!"冬青叶从狮焰身边挤到了前头,"把你知道的事情都告诉我们吧。"

日神眨了眨眼睛:"你知道吗?这对你们来说没有什么帮助。只要你们是预言中的一部分就够了。谁是你们的父亲有那么重要吗?"

"非常重要!"冬青叶咆哮道。

"等等。"狮焰向前走了几步,站在妹妹旁边,"我同意日神的观点。我也想知道真相,但更重要的是那个预言。"

"但我们必须弄清楚。"松鸦羽争辩道,"只要告诉我们一个名字就可以了,我们只想知道这么多。"

日神的眼神中流露出一丝冷冷的笑意。狮焰知道,他是在为

拥有控制他们的力量而洋洋自得。突然,他不敢肯定日神是否真的知道那个预言的真相了。也许他只是在戏弄他们,知道他们不能再把他带回雷族去。但是,他一开始就知道他们是谁,还主动帮过忙……

"这是我们实现预言的机会。"狮焰转向弟弟妹妹,绝望地说道,"日神知道很多……他甚至知道太阳会什么时候消失!"

弟弟妹妹都没有反应。松鸦羽看起来很固执,而冬青叶已经绷紧肌肉,仿佛就要向日神扑过去,强迫他说出真相。

不!如果她敢动他一根毫毛,他就永远不会告诉我们了!

日神的目光在冬青叶身上缓慢地移动。她那令人不安的敌意并没有激怒他。"想想我可以给你们的吧。"他轻声说道,"比仅仅了解你们的祖灵多得多!要获得真正的力量,需要比那更多的东西。听我的,我就会教你们如何真正拥有星族的力量。"

冬青叶立即发出一阵愤怒的嘶鸣声,然后蹲伏下来,准备跳起来。

"不!"狮焰咆哮道。他扑到妹妹身上,紧紧地咬住她的后颈,并把她往外拖,没有理会她那狂舞的爪子和盛怒的尖叫声。他把妹妹拖到枯萎的凤尾蕨中,然后才把她松开:"你脑子进水了吗?如果惹日神生气了,他就永远不会帮助我们了。"

"我们为什么要他帮忙?"松鸦羽走到他们身边,他的声音很镇定,头歪向一边,"那个预言并没有说到任何需要帮助的事。日神怎么可能比我们更强大呢?"

"现在,我们还没有拥有星族的力量呢,不是吗?"狮焰的肚

子一阵翻腾，想尽量让弟弟妹妹明白，"让他把他所知道的都教给我们吧。这有什么害处呢?而且,他还能告诉我们,谁是我们的父亲。"

然后,他便沮丧地意识到,来这里根本没有任何意义。冬青叶和松鸦羽还没有准备好和日神理智地交谈。他们可能像其他族猫一样,认为他是杀死蜡毛的凶手。现在,他们最好径直回到山谷中去。

狮焰回头看向巢穴入口处,日神正站在那儿,炯炯有神的琥珀色眼睛扫视着他们。"你们还没准备好听我说话呢。"他说道,"等准备好了之后再来吧。我会在这儿等着你们。"

第二十四章

　　三只猫朝雷族领地走去,冬青叶沮丧得皮毛一阵阵刺痛。他们差一点儿就知道真相了!但日神却没把他所知道的告诉他们,还摆出一副洋洋自得的模样,就像把一块美味的猎物留给自己独自享用一样。

　　要不是狮焰阻拦的话,我本可以让他告诉我们的!

　　冬青叶非常生气,几乎没有意识到周围的环境。突然,松鸦羽在一旁拼命地推她,差点儿把她推倒。"怎么了?"她问道。

　　狮焰立刻用尾巴封住了她的嘴。"影族!"他嘘声说道,"快藏起来!"

　　他们急忙钻进黑莓丛中。一根刺戳进了冬青叶的一只脚掌,她恼怒地啐了一口,急着把那根刺舐了出来,没有去理会周围缭绕的影族气味。

　　狮焰透过黑莓卷须向外看去,并报告说:"是常春藤尾、烟足和鹰爪。他们正在巡逻边界。希望他们没发现我们。"

　　巡逻队没有发出挑战性的吼叫声,气味也渐渐消失了,只留下边界标记的气味。

过了一会儿,狮焰说道:"我想,现在出去应该安全了。我们尽快回营地去吧。"

他走在最前面。三只猫跑过高低不平的草地,穿过榛木丛和蕨丛,并闪电般地掠过雷族的边界标志。进入雷族领地后,他们才气喘吁吁地停了下来。

"在回去的路上,我们最好多找些猎物。"狮焰说道,"那样的话,我们就可以假装刚才是出去捕猎,以便补充新鲜猎物堆。"

松鸦羽点头表示同意:"我应该去找些蓍草。如果我两手空空地回去,叶池一定会觉得奇怪的。"

冬青叶听从了狮焰的建议,她轻轻地穿过灌木丛,耳朵直立,嘴巴张开,急切地捕捉一丝猎物的气味,但她心里仍然恨得直痒痒的。我们不应该撒谎!我们为什么不能为自己所做的事情感到自豪呢?

然后,她悄悄地向一只松鼠靠近,但心里还在想,怎么样才能让日神说出那个真相。我愿意做任何事情,任何事情!她拼命地想,然后又想起,她的牙齿是怎样轻而易举地在蜡毛的喉咙上咬合起来的……

不,不要再想那件事!蜡毛必须死,因为他会毁掉一切。现在,他已经不重要了。重要的是我们!

冬青叶的爪子不自觉地抓挠着长满苔藓的地面。松鼠警觉起来,飞速跳到最近那棵树上安全的地方。

"老鼠屎!"冬青叶恶狠狠地说道。

"怎么了?"狮焰叼着一只画眉走了过来,"你难道还期望猎

物主动跳到你的嘴巴里吗？"

冬青叶耸耸肩，转身走开了。当我们的父亲知道我们时，他一定会感到无比自豪的！也许他甚至不知道我们的存在！也许他一直都想要个孩子。现在，他的后半生里，有三个亲人了。

走到离营地更近的地方时，冬青叶才设法捉到了一只老鼠。可她不得不承认，那只老鼠看起来都快老死了，甚至没想跑。这个季节的猎物很少，到达石头山谷时，她和狮焰没有再捕到其他猎物，但松鸦羽找到了一丛蓍草，他正叼着药草走在他们旁边。

三只猫走进空地时，看到蛛足、桦落和榛尾正聚集在新鲜猎物堆旁。

冬青叶叼着猎物走过时，听到桦落说道："我觉得日神并没有走。他一定还潜伏在某个地方。"

榛尾颤抖着说道："但愿事情不是你说的那样。我一直觉得，我们根本不该把他带回来。"

蛛足耸了耸肩："他不可能再伤害我们了。让他去他想去的地方吧。"

"任由他杀死更多的猫吗？"榛尾脖子上的毛立刻竖了起来，"你真是个鼠脑袋！"

"如果他还在附近的话，我们的巡逻队一定会发现他的。"桦落用尾巴拍了拍她的肩膀，安慰道，"而且火星——"

他的话立即被尘毛的叫声打断了。尘毛正从蛇洞周围的屏障那儿跑过来。"我要提醒每一只猫，"黑棕色虎斑武士说道，"那只肚子里装有死亡浆果的老鼠还没有被碰过。那条蛇肯定还在

附近。"说完,他便赶快跑去警告黑莓掌和巡逻队的其他成员。他们正从荆棘通道走进来。

一股神奇的力量让冬青叶全身颤抖起来。雷族从来没有这般生机勃勃过! 全体族猫都同心协力,应对身边的威胁。他们无所不能! 如果能让我统领他们,我可以为此做任何事情!

"冬青叶。"听到叶池的声音,黑色母猫顿时一惊。她把猎物放到猎物堆上,迅速转过身,看到巫医和松鼠飞在一起。

"我们得谈谈。"松鼠飞说道。

冬青叶盯着叶池,心突然怦怦地跳了起来。她是不是要把我做过的事告诉其他猫呢?

然而,叶池轻轻地摇了摇头,冬青叶这才放松下来。

"你想对我们说什么? "狮焰问道。他放猎物时,恰好听见了松鼠飞的话。

"对,我们要谈什么? "松鸦羽问道,他嘴里那一大捆蓍草茎减弱了他语气中挑战的意味。

"这里不是说话的地方。"叶池扫视着附近的猫,嘀咕道,"和我们一起到树林里去。"

冬青叶犹豫了。然后,她和狮焰交换了一个眼神。他好像在等她作出决定。于是,她点了点头:"好吧, 我们也要和你们谈谈。"

松鸦羽把蓍草放到巫医巢穴之后,松鼠飞就把他们带到了树林深处,一直走到一棵长满苔藓的橡树下。

"什么事啊?"松鸦羽问道,语气很不友好,"这一切到底是怎

276

么回事？"

　　松鼠飞和叶池久久地打量着这三只猫。冬青叶突然意识到，虽然她们是两只如此迥异的猫，但眼里的神情却是一样的。她不想承认，不想承认那就是爱。

　　松鼠飞深深地吸了一口气："叶池就是你们的母亲。但是，我想说的是，我一直像对待亲生骨肉一样照顾你们。我们一起抚养你们，这才是最重要的。"

　　"你们是在谎言之下抚养我们的！"冬青叶嘶喊道，没有给兄弟们发言的机会，"我和你们俩无话可说。"她并没有理会狮焰和松鸦羽眼中的震惊，而是继续说道，"算了吧。这里没有什么母亲。母亲会爱自己的孩子，并把真相告诉他们。"

　　她又站了一会儿，细细品味着她的拒绝给两只母猫带来的痛苦。然后，她猛地转身，大步走回营地。

　　"冬青叶，等等！"狮焰叫道。

　　冬青叶回过头来。怒火在她的眼中燃烧，她咬牙切齿地吼道："快走！"

　　狮焰跟在她后面走开了。片刻之后，松鸦羽也跟了过去。"你们真是鼠脑袋！"他气恼地说道，"我们至少可以谈谈。她们可能正准备告诉我们真相呢。"

　　"比如我们父亲的名字？"冬青叶厉声说道，但没有放慢脚步，"不，问她们没有任何意义。我们只会听到更多的谎言。"她摆动着尾巴，尽力让自己不去想叶池和松鼠飞，"日神会告诉我们的。"

"去把苔藓拿过来。"冬青叶指挥道,"白翅的幼崽很快就要出生了,她需要一个舒服的窝。"自从前一天和日神的糟糕会面后,她竭力打消心中的背叛感,想专注于作为一只族猫的职责,却发现根本做不到。她现在已经知道,她根本就不该来到这个世界上,更别提让自己成为一名优秀的武士了。每只猫都知道,巫医是不准生孩子的。她和同窝手足的出生只是个错误,一个叶池羞于坦白供认的错误。但是,他们的生父或许并不这样认为……

狐爪和冰爪叼着一大团苔藓蹒跚地走进育婴室入口时,育婴室里好像挤满了猫后和扭动的幼崽。白翅正蜷缩着身子待在一旁。

"谢谢你,冬青叶。"她说,"你有自己的学徒时,一定会是位了不起的老师。"

"但愿如此。"冬青叶回答说。我怎么会有学徒呢?知道这些事情后,我怎么可能再把武士守则教给一只年轻猫呢?

她帮助两名学徒铺苔藓时,突然听到空地上传来了报警的号叫声。她还没来得及抬起头,小玫瑰就飞速地跑进育婴室,一脸惊慌,毛发直立。"影族!"她大声尖叫道,"营地里有影族猫!"

黛西急忙安慰受到惊吓的幼崽,冬青叶猛地跑到外面,准备回击。但她一来到空地上,就马上放松了下来。只有三只猫进入了营地:黄毛、橡毛和常春藤尾,蛛足和鼠须分别站在他们两侧。火星已经走过空地,去见他们。在深红色的阳光下,他火红色的皮毛闪烁着,其他族猫已经在他身后聚集起来。

冬青叶走到狮焰和松鸦羽身旁,低声问道:"怎么了?日神又

278

惹麻烦了吗？"

狮焰摇了摇头："不知道。"

"你们好。"火星向影族巡逻队点了点头，"日神已经走了。"

"我们不是为日神而来的。"黄毛彬彬有礼地说道，"昨天，我们在影族边界——离雷族领地很远的地方，发现了你们的三只猫。他们在那里干什么？"

"狐狸屎！"松鸦羽咕哝道。冬青叶感觉毛发开始直立起来。如果火星知道我们干了什么，我们一定会成为鸦食的！

"三只雷族猫？"火星问道，"你敢肯定吗？"

"我们闻到雷族猫的气味时，立即就能辨认出来。"黄毛肯定地回答道，"而且，常春藤尾亲眼看见了他们。常春藤尾，把他们指出来吧。"

影族母猫走上前，甩动着尾巴，指向冬青叶、狮焰和松鸦羽："就是他们三个。"

其他雷族猫倒抽了一口气。冬青叶挑衅地看着他们。我们没有给影族找麻烦！他们为什么要制造麻烦呢？

火星若有所思地看着三只同窝猫。冬青叶感到皮毛越来越烫，竭力不让自己颤抖起来。然后，雷族族长转向了影族巡逻队。

"我相信，我的武士们去那里一定有非常合适的理由。"他说道，"你应该知道，巫医几乎不可能是入侵队伍中的一员。你有没有想过，他们可能是在寻找药草呢？"

雷族三兄妹都点了点头。松鸦羽还补充说道："嗯，比如蓍草。"他好像是在激怒那几只影族猫来反驳他。

"药草……"黄毛小声地说出了这两个字,但声音刚刚能被其他猫听到。很明显,她并没有相信这个理由,但她不准备再谴责雷族猫了。

"他们竟然误入如此接近影族边界的地方,我向你们道歉。"火星继续说道,"这种事不会再发生了。"

"但愿不要再发生。"黄毛没好气地说道。然后,她转过身,抽动了一下尾巴,让她的巡逻队集合,并朝荆棘通道走去。蛛足和鼠须跟在他们身后,护送影族猫走出了营地。

在营地入口处,黄毛又回过头说道:"火星,希望你能尽快掌控好你的族群。"雷族猫还没来得及回答,她就消失在通道中。

当火星大步走过空地,来到他们面前时,冬青叶知道,族猫们都在盯着她和她的兄弟们。她强迫自己去直视火星那灼热的绿色目光。

"不管你们做了什么,我都不想知道。"他语气生硬而严厉地说道,"但不要再那样做了。你们认为,我现在要处理的事情还不够多吗?"

那我们呢? 冬青叶愤恨地想道。你根本就不知道,我们现在正在经历什么事情!

"对不起,火星。"狮焰说道。

火星只是叹息了一声,就匆匆地走到沙风、灰条和其他猫身边。他们正站在新鲜猎物堆旁。

他刚走远,冬青叶就转向她的兄弟们:"我们必须——"

狮焰警告地用尾巴碰了她一下。她停下来,回过头去,看到

黑莓掌走了过来。她心想,这真是太好了。

副族长停下脚步,用冷漠的黄眼睛扫视着他们:"你们是否准备告诉我,你们都做了些什么? "

冬青叶紧闭着嘴巴,反叛地盯着虎斑武士。旁边的狮焰和松鸦羽都沉默不语。

"我不知道最近发生了什么事。"黑莓掌叹了口气,"你们——"

"嘿,黑莓掌! "尘毛在武士巢穴外面插话道,"今晚,由我来带领黄昏巡逻队。你想让哪只猫和我一起去呢? "

"我得走了。"黑莓掌对三只猫说道,"不要再制造麻烦了,好吗? "

冬青叶看着他走远,然后拉过哥哥和弟弟。三只猫紧紧地挤在一起。"明天我们再去日神那里。我不在乎影族猫怎么想,我们必须知道真相! "

狮焰愤怒地盯着她,仿佛想知道她是否会再次对日神发脾气。但是,松鸦羽看起来却是一副若有所思的样子。最后,他点了点头:"我同意。这一次,他必须告诉我们。如果他再次拒绝的话,我们就收拾他。记住,预言属于我们,不属于他。"

第二十五章

冬青叶和哥哥弟弟准备溜出营地,前往旧两脚兽巢穴时,太阳已经升起而又躲了起来。头天晚上,云朵已经聚集起来。他们到达雷族领地边界时,天空开始下起了*丝丝小雨*。

一越过边界,狮焰就带着他们迂回穿过细长的树木,尽可能地远离影族边界。三只猫都很警觉,密切地注意着影族巡逻队的动静。

如果这次我们被抓住,那麻烦就大了,冬青叶心想。

他们到达旧两脚兽巢穴时,日神正坐在入口处,好像一直在等他们似的。

三只猫小心翼翼地走过湿淋淋的黑莓丛,来到巢穴前时,他站起来说道:"非常欢迎,我就知道你们今天会来。"

"那就开门见山吧。"冬青叶走到最前面说道,"我们不想再与你争吵。只要你说出我们父亲的名字,我们就会让你帮助我们实现预言。"

日神盯着她,眼睛发亮。冬青叶突然颤抖起来。以前,她曾经觉得,她可以用一生的时间来注视他,倾听他的声音。尽管她现在已经知道他是多么的危险，但仍然不能完全摆脱他那迷人的魅力。

"我们要不要到里面去?"日神好像认为,这只不过是一次友好的来访。

冬青叶和其他两只猫跟着他进入了潮湿的巢穴，并把皮毛上的雨水抖掉,然后在破裂的石头地上找了个地方蜷伏下来。

"你可能得找一个新地方住了。"冬青叶提醒泼皮猫,"影族派了一支巡逻队向火星报告,说我们走出了领地。"

"什么?"日神的皮毛开始竖立起来,"黑星竟然敢那样做?难道他有权干涉别族猫走出自己的边界吗? "

"嗯,他是这么认为的。"松鸦羽嘀咕道。

"你们并没有做错什么!"日神的皮毛膨胀得更加厉害,琥珀色的眼睛在燃烧,"黑星只是想利用这件事来羞辱雷族。"

"我不敢肯定。"狮焰看起来很不安,"但我想,黑星只是过于着急,想再次证明他在遵守武士守则。"

日神鄙夷地哼了一声:"武士守则! 对星族的信仰! 我不明白,为什么你们这些猫都认为这些东西那么重要。"

冬青叶的肚子一阵翻腾。没错! 武士守则比什么都重要! 但是,她知道此刻必须保持冷静。如果他们再次和日神发生争执,就会失去寻找父亲的机会。

"我比星族知道的更多。"日神继续说道,"他们有没有告诉你们太阳会消失?你们非常明白,他们没有。难道这还不能说明,我比你们的武士祖灵更强大吗? 如果没有预言,我也这么强大,

非常欢迎，我就知道你们今天会来。

只要你说出我们父亲的名字，我们就会让你帮助我们实现预言。

我们要不要进里面去？

你可能得找一个新地方住了。影族派了一支巡逻队向火星报告，说我们走出了领地。

那你们三个拥有的力量肯定更加强大！"

狮焰的眼睛放着光，松鸦羽下意识地不断伸缩着爪子。冬青叶不得不费了很大力气，才没让自己被日神的声音迷住。她提醒自己，到目前为止，他还没给我们任何提示。他的话都像是薄雾后的阳光，虚幻缥缈。

"很好。"她厉声说道，"但是，我们要怎么做呢？"

"影族猫毫无价值！"日神继续说道，"他们对自己的领地没有所有权。如果不干涉他们，他们很快就会侵犯雷族领地。你们需要伪造证据，证明影族在偷猎雷族的猎物，这样，火星就可以对他们发起攻击。一旦你们拥有了影族领地，你们就可以入侵河族和风族。"他向四周看了看，然后压低声音，发出了深沉的呼噜声，"那才是绝对的权力，可以控制湖边的每一只猫！"

冬青叶盯着日神，感觉爪子一阵阵刺痛。与敌对族群里的每一只猫作战，这真的是雷族为了获得权力而必须做的事吗？她试图想象火星允许这样的事情发生，却很清楚那是不可能的。

"我并不认为——"她犹豫不决地说道。

但日神没有理会她。他走进巢穴远端的一个角落里，从黑暗中拖出一只兔子。当他把兔子放在他们面前时，冬青叶闻到了新鲜猎物和影族的混合气息。

"这是我在影族领地抓到的，还在他们的气味标记上把它擦了几下。"日神解释说，"你们可以把它带回领地，并告诉火星，你们赶走了一支影族巡逻队。"他的眼中流露出一丝冷冷的笑意，"影族会怎样否认这件事呢？那些愚蠢的猫，他们宁愿相信那些已故祖灵的愚蠢童话，也不愿自己想事情。都是那些无聊的星族信息害的！"

冬青叶看了看狮焰。他正眯起眼睛打量着日神，皮毛开始慢慢地竖了起来。

"你简直和虎星一模一样！"狮焰怒吼道，"你不是为了我们，你是为了你自己的野心！"

他绷紧肌肉，猛地跳起来，把爪子伸向日神。冬青叶向他扑去，抢在他把爪子插进日神的皮毛之前，把他撞开了。

"你在干什么啊？"她喘着气说道，并把哥哥按在地上。

"这不是预言的一部分。"狮焰甩掉冬青叶，站了起来，愤怒地注视着日神，"他只是想利用我们。力量是我们的，不是他的！"

"你说得对。"松鸦羽站起来，用尾巴指了指日神。日神并没有被狮焰的攻击吓倒，也没有对他的指责作出任何回应。"日神根本不在乎我们。他私下里仍然在和影族争斗，因为黑星让他离开了影族领地。他们的争斗与我们没有任何关系。我们可以在某个地方找到真相，但不是这里。"

狮焰站了起来："我们走吧。不会再来了。"

冬青叶怀疑地盯着他。"我们不能离开！"她争辩道，"我们必须知道——"

"我们不需要日神告诉我们任何事情。"狮焰掷地有声地说道，"我们真是傻瓜，明明知道他对其他猫所做的事情，还去信任他。他只是想让所有族群之间相互争斗，难道你看不出来吗？那个预言并没有提到任何有关争斗的事。预言说，我们天生就有力

量——我们不应该为它而争斗！走吧。”

他大步走出巢穴，松鸦羽紧随其后。冬青叶追上一步，然后回过头去看着日神。但泼皮猫只是盯着她，没有给她任何帮助。

冬青叶愤怒而绝望地嘶鸣一声，跑去追赶哥哥和弟弟。我们是三力量！我可以凭借自己的力量做这件事！

狮焰和松鸦羽站在距离巢穴几条狐狸尾巴远的地方，在倾盆大雨中等她。当她赶上他们时，日神出现在巢穴入口处。

“等等！”他叫道，“难道你们不想知道亲生父亲是谁吗？”

狮焰没有理会他。“走吧。”他对冬青叶说道，“这不是找出真相的唯一方法。我们必须为自己做这件事，而不是为其他猫。”

冬青叶低下头，表示让步。但是，当她小心翼翼地走过湿淋淋的草丛时，仍然可以感觉到，日神那双琥珀色的眼睛依然在盯着她。

拂晓之光
SUNRISE

第二十六章

　　松鸦羽和哥哥姐姐跌跌撞撞地回到石头山谷时，已经筋疲力尽了，几乎感觉不到脚掌的存在。而且，他的毛发已经被雨淋得紧贴在身上。他觉得自己仿佛在一张由谎言和阴影编织而成的巨大蜘蛛网中挣扎，有只潜伏着的蜘蛛随时伺机袭击他。

　　在那个旧两脚兽巢穴时，他就已经肯定，他们离开日神是正确的，但他现在又不那么肯定了。如果那只泼皮猫真的是找到真相的唯一途径，那该怎么办呢？

　　如果火星问我们去了哪里，我们该怎么回答呢？他一定会把我们撕碎了，扔到猎物堆上去的！

　　但是，当他蹒跚地进入空地时，却听到族猫们都聚集在育婴室附近，兴奋地谈笑着。没有猫注意到松鸦羽和他的同窝手足。

　　"怎么回事啊？"狮焰问道。

　　一阵匆忙的脚步声回应了他。这时，狐爪跑到了他们身边。"是白翅！"他大声喊道，"她在生幼崽！"

　　同时，松鸦羽听到亮心在育婴室中叫道："松鸦羽！快点儿过来——叶池在找你！"

松鸦羽停止了叹气。他很想悄悄地回到巢穴里,弄干皮毛,然后睡上一觉。他无奈地朝育婴室走去,从桦落身边挤过,后者正紧张不安地撕扯着草叶。

育婴室里,黛西和米莉已经把幼崽放进自己的窝中,以便给白翅和叶池腾出空间。年轻的白色母猫侧躺着,呼吸又急又弱。

"你一切正常。"叶池安慰道,"你的幼崽也一样。我们会让你在不知不觉中将他们生下来的。"

"希望如此。"白翅喘着气说道。

尽管叶池听起来很镇定,但松鸦羽可以感觉到她的恐惧。她靠过来,在他耳旁小声说道:"她已经精疲力竭,恐怕没有足够的力气生这些幼崽了。"

松鸦羽把一只脚掌轻轻地放在白翅胀鼓鼓的肚子上,并集中精力。他可以感觉到,她肚子里有两个微弱但平稳的心跳。"她有两只幼崽。"他说道,"加油啊,白翅!你可以做到的。"

他在疲惫的母猫身边蜷伏下来,心里想道:没事的,小崽崽们,很快就好了。就差那么一点点了。

突然,他的思绪滑进了白翅的脑海中。他听到了凶狠的号叫声,看到了龇出的牙齿和伸长的舌头,好像白色猫后正在幻想幼崽被狗撕扯,就像她的母亲亮心一样。他还听到了雷族与其他族群战斗的尖叫声,看到猩红的鲜血从深深的爪痕中冒出来,在苍白皮毛的映衬下十分显眼。他望着被大雪覆盖的森林,突然感到饥肠辘辘。

松鸦羽开始头晕目眩,慢慢地向后退去。他心想,母亲真的会在孩子出生之前想象他们的一生吗?白翅正躺在那里,默默乞求他的帮助,他能感觉到她的恐惧。

他马上回过神来,在年轻母猫身边俯下身子。"别担心。"他低声说道,"你的孩子们会没事的。他们会得到族猫的关爱和保护。"他轻轻地用一只脚掌抚摸着白翅的肚子,"现在,时间到了。"

"是的。"白翅喘着气说。

松鸦羽感到,一阵猛烈的波浪从她肚子上滚过。她发出了一声尖叫。然后,一团湿漉漉的小东西滑了出来,落在苔藓上。

"小家伙没事吧?"白翅仍在喘气。

"不会有事的。"松鸦羽肯定地对她说道,"现在,另一个就要出来了。"

白翅静静地躺了一会儿。然后,她弓起背,另一阵波浪滚过她的肚子。接着,又一团小东西滑到了窝里。

"太棒了!"叶池大声叫道,"欢迎你们,小崽崽。欢迎来到雷族。"

第一只幼崽大声地吱吱叫着,叶池轻柔地喵了一声。"这只小猫看起来很小,但是很强壮。小崽崽们,快去你们母亲那里吧。"

"她们真漂亮!"白翅嘟哝道,"谢谢你,松鸦羽。还有你,叶池。"她用一只脚掌把小猫们拉到身边,开始用力地舔舐她们。

松鸦羽朝育婴室入口处走去,一阵喜悦传遍了他的全身。"桦落!"他开心地叫道,"快来看看你的女儿们。"

桦落从松鸦羽身边挤过,跌跌撞撞地走了进来。他的舒心和兴奋几乎让松鸦羽踉跄了一下。"白翅,你没事吧?"他哽咽地说道,"哦,感谢星族!多漂亮的幼崽啊!"

叶池仍在照顾白翅,松鸦羽蹲伏在亲生母亲旁边,想象着他和同窝手足出生的时候,她是不是也有同样的感觉。我们的父亲是不是也同样感到高兴呢?

他很想和叶池谈谈,听听她是怎么说的,然后了解真相。此刻,他们正亲密地在一起工作。有那么一会儿,他感觉到有成功的可能性。"叶池……"

叶池转向他。"白翅现在没事了。"巫医打断了松鸦羽想说的话,"去帮我拿些补充营养的药草来,再拿几片琉璃苣叶给她催奶。"

他知道,时机已经过去了。"好的。"松鸦羽回答道,然后便跑出了育婴室。

他把药草拿到育婴室之后,雨变小了。他打算先到猎物堆旁,找些东西吃,然后再回到自己的窝好好地休息一会儿。有好几只猫正围着猎物堆分享食物。当他蹲伏下来,狼吞虎咽地吃一只田鼠时,他们的兴奋丝毫没有感染他。

"在秃叶季生孩子很艰难。"香薇云说,"白翅做得真不错。"

"她也会把小猫们抚养得很好的。"鼠毛的声音听起来不像平常那样反复无常了,"白翅是族群中最好的猫之一。她还是一名学徒时,就总是确保我们有新鲜的苔藓,而且是干的。"

"这些幼崽离开育婴室的时候,我们都得当心。"尘毛打趣地

说道,"他们有你的血统,云尾。我们都知道,你还是幼崽的时候,给火星惹了不少麻烦。"

云尾哼了一声:"她们会成为优秀的武士的,尘毛。任何猫有不同的意见,我都会撕破他的皮。"

冬青叶和狮焰走过来,在松鸦羽旁边坐下,默默地倾听族猫的欢声笑语。松鸦羽停了一会儿,然后才继续吃猎物。他们三个都不想加入族猫的谈话之中,但松鸦羽感觉到,他们彼此之间也没有什么可说的了。

"我记得你们三个小时候的事情。"一阵脚步声传了过来,蕨毛对他们三个说道。金棕色虎斑猫用尾巴轻拍着松鸦羽的耳朵:"你们居然去追赶狐狸!你们能存活下来成为学徒,真是奇迹啊。"

"是啊,的确是奇迹。"松鸦羽嘀咕道。突然,他再也无法容忍其他猫的兴奋了。他没再说什么,甚至没对哥哥姐姐说什么,便吞下最后一口田鼠肉,朝他的巢穴走去。

松鸦羽蜷缩在窝里,醒来时听到了脚步声。他睁开眼睛,看到一只瘦骨嶙峋的灰色母猫正俯身靠近他。

"黄牙!"他惊叫着站了起来。此时,他仍在巫医巢穴里,沐浴在灰白色的月光中。叶池蜷缩在几条尾巴之外的地方,依然在沉睡。

前任巫医把一根长长的黑色羽毛放在松鸦羽窝里的苔藓上。"是揭开所有谎言和秘密的时候了。"她说道,"我必须把真相

说出来。星族错了，这么长时间以来，一直没把你们的真实身份说出来。"

"那怎么——?"松鸦羽说道。但黄牙模糊的影子开始慢慢变弱，逐渐融入到月光中，直到完全消失。这时，月光也突然消失了，把松鸦羽独自留在黑暗中。然后，他便从梦中醒了过来。

"老鼠屎！为什么没有猫能直截了当地说出真相呢?"他嘶喊道。但是，肚子里沉重冰冷的感觉让他意识到，黄牙已经说出了他想知道的真相。

他在窝里四处摸索，发现了她留下的那根羽毛。他用脚掌抚摸着这根长长的、光滑的羽毛，并想象着它在银色的月光下泛着黑色的光。

"她竟然给我带来了一根乌鸦的羽毛……"他低声说道。

松鸦羽费力地爬出窝，轻轻地走出巫医巢穴，并确保没有惊醒叶池。一走到空地上，他就向武士巢穴走去。他在巢穴周围悄悄地走了一圈，并嗅了嗅空气，直到闻出狮焰就睡在树枝旁边。

松鸦羽开始四处寻找，最后找到了一根落在地上的树枝，并把它插进荆棘树丛，直到感觉另一端戳到了狮焰。

"呃? 快走开! "狮焰用力拍打着那根树枝。

"狮焰! "松鸦羽轻声喊道，同时尽力靠近巢穴里的哥哥，"我得和你们谈谈。去把冬青叶找来。"

"现在是午夜呢! "狮焰嘟囔着。

"你最好压低声音！难道你想惊醒营地里的每一只猫吗？这很重要！我们得到别的地方去。"

"好的,好的,别吵了。"

松鸦羽不耐烦地等着,直到哥哥从树枝中钻出来。

"去别的地方? 这是什么意思? "狮焰小声说道,"去哪儿? "

"到森林里去。找个适合谈话的地方。"

这时,冬青叶打了个哈欠:"最好不会白去。"

"绝对不会的。"松鸦羽保证道。

三只猫从厕所附近的通道悄悄地溜了出去。他们一直走在黑暗处,以免惊动正在站岗的罂粟霜。然后,松鸦羽带着他们穿过树林,向风族边界的方向走去。

"这里简直冷死啦。"冬青叶抱怨道,"我不会再往前走一步了,除非你作出解释。"

"好的。"松鸦羽转过身来,面对着他们俩,"我知道谁是我们的父亲了。"然后,他开始犹豫了,差点儿被哥哥姐姐突如其来的阵阵急迫击倒。他深深地吸了一口气,说道:"是鸦羽。"

三只猫沉默了一会儿。现在,他们心中的情感异常复杂,松鸦羽知道,他永远都不能读懂它们。

最后,冬青叶哽咽地问道:"我们是混血猫吗? "

"你是怎么知道的? "狮焰听起来很困惑。

"黄牙出现在我的梦中。"松鸦羽解释说,"她告诉我,是知道真相的时候了,然后就把一根乌鸦的羽毛给了我。"

"但那并不能够说明……"冬青叶突然停止了反驳。三只猫都很清楚,这个信息意味着什么。试图假装这不是真的,没有任何意义。

"鸦羽知道这件事吗？"狮焰问道。

"难道这就是叶池不得不瞒着我们的原因吗？"冬青叶插嘴道。

他们不断地追问松鸦羽。"我也不知道。"他告诉他们，"我们必须去找鸦羽。走吧。"

三只猫默默地穿过森林。当他们走在灌木丛中时，不久前的那场大雨留下的雨滴洒落在了他们的皮毛上。突然而来的阵阵寒意，让他们浑身颤抖。松鸦羽可以听到最早醒来的鸟儿在头顶上发出叽叽喳喳的叫声。

他顿时感到虚弱无助。怎么会是这样一个结果呢？他们的母亲是巫医，父亲却是一名风族武士。他们俩本该知道，他们永远都不可能在一起的。

既然我们本不该来到这个世界上，那我们怎么可能是预言的一部分呢？

狮焰在松鸦羽身边慢慢地走着。他怒火中烧，对那些背弃武士守则，并向他们编出一大堆谎言的猫感到极度愤怒。在他的另一边，冬青叶却感到一片茫然，她那混乱的思绪仍然难以解读。

最后，松鸦羽终于听到了边界上的流水声，并闻到了湖水的气味。"现在天色还早。"他说，"但我们可能会遇到风族的黎明巡逻队。"

他们在小溪旁停了下来。松鸦羽累得四肢发抖，很想倒在水边的长草中去，但他知道，他必须站着，勇敢地面对父亲。

周围的鸟鸣声越来越大，冬夜的严寒渐渐缓解。最后，松鸦

羽闻到了一阵风族的气味。冬青叶马上大叫起来："他们来啦！"

"是枭羽、荆豆尾和鼬毛。"狮焰说道，"你们在这儿等着。我去跟他们谈。"

听到狮焰跳过了小溪，松鸦羽说道："等等——"但哥哥已经走了。他太过生气，一点儿都没注意自己已经越过了边界。

"你在这里干什么呢？"枭羽问道。

狮焰压抑已久的愤怒立刻从声音中爆发了出来："快去把鸦羽叫来。现在。"

"什么？"鼬毛愤怒地大叫着，"竟然命令起我们来了，你以为你是谁啊？"

"没错。"荆豆尾附和道，"回你们自己的领地去！否则，我们会把你的皮毛给剥光的。"

狮焰发出一阵低沉的怒吼。松鸦羽想象得出，狮焰正向三只风族猫逼近，金色的皮毛蓬松开来，直到他看上去有平时的两倍大。"快去！"他命令道。

"好吧。"枭羽说道，他的声音很尖利，像是在尽量掩饰恐惧，"但是，你们只能在雷族边界上等着。"

松鸦羽听到风族武士跑开了，然后是咚的一声。狮焰已经跳过小溪，回到了他们身边。他们等在那里。狮焰的爪子不停地在草地上乱刨，仿佛他需要某些东西来发泄愤怒。

闻到微风中有一只风族猫靠近的气味时，松鸦羽的肚子顿时一阵乱搅。只有一只——鸦羽是独自来的。他可以感觉到，冬青叶在他身边紧张地颤抖着。她不断地抽动着尾巴，从哥哥的皮

毛上擦过。

最后,鸦羽的声音从风族边界那边传来:"有什么事吗?"

三兄妹在小溪的另一边面对着风族武士。松鸦羽紧张得一时说不出话来。他听到姐姐也在急促地喘息着。

但是,狮焰却没有丝毫犹豫。"黑莓掌和松鼠飞并不是我们的父母。"他平静地说道,"叶池是我们的母亲,而你是我们的父亲。"

他们停顿了一下。然后,鸦羽厉声说道:"别犯傻了,这是不可能的。"

他的语气听起来非常肯定,以至于有那么一会儿,松鸦羽怀疑他们是不是真的弄错了。他深深地吸了一口气,然后走进了鸦羽的记忆中。一团纠结在一起的灌木丛出现在他的眼前,然后他意识到,自己已经站在石头山谷的悬崖顶上。叶池则吊在悬崖边,仰起头,乞求地看着上面的鸦羽。鸦羽则咬住她的后颈,把她拉回到安全地带。

然后,他瞥见,他们俩蜷伏在一簇灌木丛下,并听到了鸦羽的声音:"叶池,跟我走吧。我一定会好好照顾你的。"紧接着,他们俩肩并着肩,艰难地爬上了高沼地的一个长坡。然后,在一个小山谷中,他们和那只叫做午夜的獾说起话来。"我必须回去。"叶池说道。

巫医的哀号声穿透了松鸦羽的幻象,然后他看到,石头山谷中到处都是獾,一场战斗正在进行,他的族猫们正在与獾群激战。最后,空地上的战斗残景中,叶池和鸦羽面对面地站着。"你

的心在雷族。"鸦羽低声说道。松鸦羽几乎不敢相信，这名武士的
声音听起来竟是那么的温柔。"并没有和我在一起，而且从来都
没有真正地和我在一起过。"

幻象只持续了一会儿。但是，当松鸦羽从风族武士的思绪中
走出来时，他确信黄毛没有欺骗他，并且肯定，鸦羽还不知道自
己就是叶池孩子的父亲。

"这是真的。"他说道，"难道你不知道吗？"

"不……"鸦羽听起来好像很茫然。然后，他感到一阵愤怒从
风族武士心底升起。"我有伴侣的。"他厉声说道，"她的名字叫夜
云。我们有一个儿子，叫风皮。我不知道你们为什么来这儿找我，
跟我说这些谎话。回家去吧，不要再回到这里来。我为什么要关
心雷族猫？对我来说，你们什么都不是，什么都不是！"

此时，松鸦羽听到冬青叶喘了一口气，还听到狮焰用爪子抓
挠石头的声音。

他则镇定地看着父亲。"现在已经真相大白。"他警告道，"我
们都不能再逃避了。"

第二十七章

这一天的其他时间里，他们都是在一种压抑的痛苦中度过的。当冬青叶在自己的窝里蜷缩起来时，梦里充满了黑暗。厚厚的灌木丛包围着她，使她几乎看不到天空。她听到有猫在远处号叫，但不管她跑得多快，都无法追赶上他们。

当她醒来时，看到曙光透过武士巢穴上方的树枝照射进来，她突然觉得筋疲力尽，好像真的在那片黑暗森林中奔跑过一样。她摇摇晃晃地站起来，戳了戳狮焰。

当哥哥上下打量着她时，她急切地低声问道："我们该怎么办啊？我不能再这样下去了！"

"不知道。"狮焰迅速地扫视了巢穴一周，好像生怕某只猫会偷听一样，"回头再说吧。"说完，他便穿过树枝走了出去。冬青叶确信，他在回避她，于是跟着走到外面。

一走出武士巢穴，黑莓掌就看到了他们。"冬青叶！狮焰！沙风正要率领狩猎巡逻队去森林，你们能和她一起去吗？"

"当然可以。"狮焰冲过空地，跑到了沙风身边。沙风、莓鼻和榛尾正在副族长身旁等待着。

300

　　冬青叶跟着他走过去,仍然感到有些恍惚,好像脚掌都不属于自己了。现在,她已经知道有关自己身世的可怕秘密,怎么可能再融入到雷族的日常生活中呢?她觉得天空应该开裂,月亮应该掉进石头山谷里。

　　"别忘了,今晚是森林大会之夜。"黑莓掌提醒他们,"族猫出发之前,一定要好好吃一顿。"

　　"我们会的,别担心。"沙风承诺道。然后,她颤动着胡须,用尾巴示意巡逻队员,并走向营地入口处。

　　冬青叶跟在后面,但她无法专注于狩猎。痛苦像闪电劈开天空时的情景一样,让她晕头转向。以前,她把自己的生活建立在武士守则之上,而现在,守则却让她倍感失望。它已经不再重要了,已经发生了太多背离武士守则的事情:松鼠飞撒谎,鸦羽则爱上了巫医。更严重的是,叶池已经打破武士守则,将它踏为尘土。她背叛了族群、巫医的责任以及她的幼崽。

　　突然,一只老鼠冲到冬青叶的脚掌前,她本能地扑到老鼠身上,把爪子伸进它柔软的身体里。一阵跳动的红色迷雾中,叶池的形象闪现出来。她拼命撕扯着老鼠,想象着自己正在要那只她恨之入骨的猫的命。

　　"冬青叶,快停下!"榛尾用颤抖的声音说道,"你这是在干什么啊?"

　　渐渐地,冬青叶的视觉变得清晰了。她看到爪子上流淌着深红色的血液,她抓住的那只猎物已经变成了一团红色的肉酱。看来,没有什么猎物可以带回去了。

她顿时怒火中烧，转身瞪着榛尾咆哮道："别管我的事！"

榛尾吓得直往后退，她睁大眼睛，然后转过身，猛地跑进了蕨丛中。

狩猎巡逻回来之后，冬青叶一直心神不定，无法在营地里再待下去。她不想说话，尤其不想和狮焰、松鸦羽说话。她独自走出营地，来到湖边，然后又沿着风族边界，一直走到山脊上。她站在那儿，眺望着连绵起伏的高沼地。

高沼地上的某个地方就是风族营地，她的父亲就在那里。她的血管中流淌着他的血液。但她心想，我并没感觉到自己身上有半点儿风族血统！

冬青叶知道，她的家不在那儿，而是在树林中，她可以追捕老鼠和松鼠。风族的兔子看起来瘦骨嶙峋，而且索然无味，因为它们总要跑过一座座小山。她憎恨开阔地，憎恨这无情的风。

遥望着父亲的领地，她无声地号叫着："不！不！不！"

傍晚的暗影掠过石头山谷时，火星把准备参加森林大会的猫召集在一起。冬青叶走到松鸦羽和狮焰跟前，故意不看几步之外的松鼠飞和叶池。灰条、黑莓掌和沙风跑了过来，然后是炭心、罂粟霜和莓鼻。

"我们走吧。"火星说道，"关于日神的事，我们说得越少越好，知道吗？"

他把众猫带到湖边，然后蹚过作为边界的小溪。在踏上风族领地的那一刻，冬青叶厌恶得浑身有如针刺一般。我不属于这

里！我不想和风族有任何关系！

早些时候，天空下过雨，但现在已是风清月朗，一轮明月照耀着大地。冬青叶停下脚步，仰望着月亮，在心里默念道：伟大的星族啊，你们赞成我即将要做的事情吗？

每走一步，她都密切注意着风族猫的动向和气味。她不知道鸦羽是否被选中参加这次森林大会。但这有什么关系吗？她愤怒地想道。他对我来说什么都不是，什么都不是！

在她前方，灰条和沙风分别走在火星的两侧。"你知道吗？直到现在，我依然怀念'四棵树'。"沙风咕哝道，"不知道为什么，我总是觉得那里的月亮好像比这里的更明亮。"

火星深情地轻推了她一下："你听起来像一名长老耶！"

沙风用尾巴拍了他一下："等着瞧吧，我将是雷族最古怪的长老。相比之下，鼠毛都比我讨族猫喜欢，也更温柔！"

"那是不可能的。"灰条说道，"但我也非常想念旧森林。"他又补充道，"那是我们出生的地方。这些年轻猫对这里的湖一定也有同样的感觉。对不对啊？"他回头看了看狮焰和冬青叶。

狮焰勉强地点了一下头，而冬青叶根本就没回答。她感到非常嫉妒，嫉妒那些猫知道自己属于哪里，他们拥有在一个又一个季节里都遵守着武士守则来生活的美好记忆。

他们并不知道，这些全是谎言！

雷族猫经过马场时，那里漆黑一片，显得异常宁静，仍然没有风族猫的任何迹象。冬青叶猜测，他们可能已经去小岛了。

当他们到达树桥的时候，发现河族猫正聚集在十字路口处。

火星礼貌地向豹星点了点头,并让自己的武士们停下来。等待的时候,冬青叶不断地伸缩着爪子,肚子里一阵翻腾。

这将是他们永远无法忘记的森林大会!

她从树桥另一端的树根中跳出来,嗅到了其他三个族群的混合气味。

"我们是最后来的。"炭心忽然出现在她身边,"最好快点儿过去。"

冬青叶跟着族猫,走过一小片鹅卵石,进入了灌木丛。没有必要匆忙,她已经踏上了自己选择的道路。而且,她表演的时间注定会到来,就像季节更迭一样。

然后,她穿过灌木丛,进入大橡树周围的空地,几个族群的猫混合在一起,围坐在大橡树四周。她感觉脚掌不由自主地迈步向前,与其他族猫擦身而过。她几乎没有意识到褐皮正在跟她打招呼,也没看到影族武士被冒犯的神情。从猫群中走过时,她听到了一些闲言碎语,但都没去理会。现在,这一切和我还有什么关系呢?

她找到一个靠近大橡树的地方坐了下来。在那里,她只需抬起头,就能看见正蜷伏在树枝上的族长们:一星舒舒服服地坐在一根树枝的分叉处;黑星蹲伏在最下面的树枝上,尾巴下垂着;豹星站在黑星上方约一只老鼠身长的地方,正不耐烦地抓挠着树皮;火星跳上去后,他选择的树枝在他身下摇晃着,一些熟透的橡树果掉了下来。

狮焰走过空地,在冬青叶身边坐了下来。"鸦羽来了。"他低

声说道。

"我知道。"冬青叶已经看到了那名风族武士,但他好像并没有看见她。现在,她朝狮焰尾巴所指的地方看去,结果发现父亲正坐在夜云和风皮旁边。他的头朝着另一边,但冬青叶猜想,他清楚地知道自己雷族的孩子在哪里。他所有的孩子马上就要团聚了。对他来说,这该是多么美好的一件事啊。

橡树枝中传来了一声刺耳的号叫声。豹星走上前。猫群顿时安静下来,一起抬头望着她。

"森林大会现在开始。"她宣布道,"河族首先进行汇报。我们的猎物很丰富。雾脚、芦苇须和暴雨把一只狐狸赶出了我们的领地。"说完,她便走了回去,并对黑星微微点头。

影族族长站了起来。同时,空地上的冬青叶把爪子插进了地里,紧张得全身发抖。突然,她不能确定自己该在何时出场了。星族,请给我一些信息吧! 如果你们也正在观看的话……

"影族正在繁荣壮大。"黑星报告说,"小云已经收焰爪为徒,并在月池把他介绍给了星族! "

猫群中立刻传来了祝贺声。一些猫大声呼喊着"焰爪! 焰爪!"冬青叶看到,这只年轻猫正与小云以及其他巫医坐在一起,他的眼中闪现出自豪的光芒。此时,她的心却很痛。她想,我曾经也有过这种感觉。

接下来是一星汇报。但是,他只是说风族边界的小溪里有只死羊,他的武士把它拖了出去,以保持溪水干净。

然后,轮到火星发言了。他站起来,在树枝上站定,看着下方

的空地。他绿色的眼睛在月光下熠熠生辉。"日神已经离开了森林。"他开口说道,"我们——"

"早该离开了。"黑星低声咆哮道。

豹星礼貌而冷淡地向火星点了点头:"火星,我很高兴你最终还是明白事理了。"

火星同样礼貌地向她点头。可是,冬青叶可以看到,他的爪子把树枝抓得更紧了:"除此之外——"

机会到了!

"等等!"冬青叶马上跳了起来,"我必须说一些所有族群猫都应该知道的事情!"

"什么?"狮焰站起身,伸出一只脚掌去拉她,竭力想让她坐下来,"你脑子进水了吗? 武士不能在这里发言!"

冬青叶一边用力摆脱他,一边嘶喊道:"我这名武士可以!"她还看到,坐在其他巫医中间的松鸦羽显得非常惊恐,但她没去理会他。

"你们以为——"她开口说道。

"冬青叶!"火星的声音从他所站的那根树枝上传来。他向下看着她,显得非常气愤:"如果你有什么重要的事情要在这里说,应该先和我商量一下! 现在你得保持沉默! 不管你有什么麻烦,我明天都会和你交谈!"

很久以来,冬青叶一直遵守武士守则,这差点儿让她强迫自己把嘴闭上,然后坐下来。我必须遵守武士守则! 但她马上又鼓起勇气。武士守则已经不再重要了! 遵从它已经没有任何意义。

"不!"她大声说道,没理会身边那些猫震惊的喘息声,"我就要现在说!"

"好的,让她说吧。"豹星再次走上前,好奇地打量着冬青叶,"我倒想听听,她究竟要说些什么。"

"我也是。"一星咆哮着。

"或者,雷族有什么秘密,他们太害怕了,以至于不敢说出来?"黑星嘲讽道,并轻蔑地向火星抖动着尾巴。

其他三个族群显然在挑战雷族,整个空地上都响起了号叫声。冬青叶站在骚乱的猫群中,心里却出奇地平静。她知道,她只需要再等一会儿。

最后,火星扬起尾巴,示意大家安静下来。当喧闹声停止时,他说道:"很好,冬青叶,把你要说的全都说出来吧。星族准许你这么做。但你可别后悔!"

现在,空地上异常安静,冬青叶甚至可以听到一只老鼠在大橡树下的枯叶中疾走的声音。"你们一直以为很了解我,以及我的兄弟,"她重新开始说道,"但是,你们听说的有关我们的所有事情,都是一个谎言!我们不是黑莓掌和松鼠飞的孩子!"

黑莓掌和其他副族长正坐在大橡树根部,听到这话时,他猛地站了起来。"什么?"他那琥珀色的眼睛在燃烧,"松鼠飞,她为什么要这样胡说!"

松鼠飞也站了起来,眼里的惊恐逐渐消失,转而被其他某种东西所替代:遗憾?内疚?或者是一个要永远失去孩子的母亲的悲痛……

"对不起,黑莓掌,但这是真的。我不是他们的母亲,你也不是他们的父亲。"

雷族副族长定定地注视着她:"那谁是他们的父母? "

松鼠飞用她那绿色的眼睛悲伤地看着那只一直被她称为女儿的猫:"告诉他们吧,冬青叶。我已经隐瞒这个秘密太久了,现在不想自己揭穿它。"

"懦夫!"冬青叶瞥了她一眼,然后,她扫视空地一周,看到每只猫都在盯着她,"我不害怕真相!叶池是我们的母亲,而鸦羽——是的,风族的鸦羽——就是我们的父亲! "

听到她的话,所有的猫都震惊得大叫起来。但是,冬青叶却对他们大声喊道:"但这两只猫为我们感到羞耻,便把我们抛弃了。而且,为了掩盖他们违背武士守则这个事实,他们向所有的猫撒了谎。都是她的错! "她摆动着尾巴指向叶池,"族群中有懦夫和骗子存在,族群还怎能继续存活下去? "

冬青叶的话淹没在越来越大的惊恐尖叫声和喘气声中。但是,已经没必要再说了。她已经把要说的话都说了出来。她的腿一直在颤抖,不得不坐了下来,但她内心却感到异乎寻常的平静,好像她已经刺破化脓的伤口,正看着毒液流出来。

鸦羽愤怒的吼声压过了其他号叫声。"这不是真的!"他跳了起来,深灰色的毛发直立着。他身边的夜云和风皮看起来疑惑不解,满脸怒意。"撒谎的是她! "

这时,叶池站了起来。猫群顿时安静下来,把视线转向她。

"是真的,鸦羽。"她说道,"对不起。我本想告诉你的,但一直没找到合适的机会。"

她琥珀色的眼睛里满是悲痛。冬青叶的心中隐约升起一股同情，但她将它抑制住了。我恨她！她撒了谎，背叛了我们大家！

"叶池，对我来说，你什么都不是。"鸦羽的声音异常冷漠，"那一刻已经过去了。我只忠于风族，只有风皮这一个孩子。"他看着站在身旁的夜云和风皮喵道。黑色母猫的耳朵贴在头上，风皮则愤怒地龇出牙齿。

叶池低下头，好像并不打算争辩。然后，她抬头看着火星。他正默默地蹲伏在树枝上，像一只石头猫。"我知道，我不能再做雷族的巫医了。"她说道，"我非常对不起你，对不起所有的族猫。请你们明白，我已经尽力了，并且一直为自己做过的事情感到懊悔。"说到最后一个字时，她的声音嘶哑了，不得不停下来咽了咽口水，然后继续说道，"但是，我不后悔生下幼崽。他们是很不错的猫，我会永远为他们自豪的。"

最后，她看了鸦羽一眼，便低头走过空地，来到灌木丛前，挤身而过，随后消失得无影无踪。每只猫都盯着她离开的方向，震惊得无法言语。

黑莓掌是第一个行动的，他向前迈步，一直走到松鼠飞面前。"这是为什么？"他问道。

松鼠飞的声音里充满了痛楚："我不得不那样做！她是我的亲妹妹！"

"你就不能相信我吗？"黑莓掌的声音在颤抖。冬青叶看到，一阵剧烈的战栗袭过黑莓掌全身。她突然为自己所做的事情感

到内疚起来。他是一只高尚的猫,他对这些谎言不需要承担任何责任。以前,一想到他是我的父亲,我就多么自豪啊。

松鼠飞没有回答,只是毫不畏缩地盯着他。

"你为什么不信任我?"他重复道,"如果你把真相告诉我,你认为我不会帮你吗? 但是,现在已经太迟了。"

他转身离开,挤过了猫群。

"黑莓掌——"松鼠飞跟在他后面走了一步,然后又停下来,绝望地低下头,垂下了尾巴。

冬青叶转过身去。让她自作自受吧。她罪有应得!

一只猫从后面推了推她。是炭心。"看看你都做了些什么!"她大声喊道。

冬青叶惊讶地眨了眨眼睛:"我做的是正确的事情。"

灰色母猫摇了摇头:"没什么事情是正确的。任何与此有关的事都会导致更多的痛苦。"她话里所隐含的智慧,好像来自于一只更老更有经验的猫。冬青叶等着她说出别的话,一些表明她为冬青叶和她的兄弟们感到难过的话。但是炭心却转身走开了。

冬青叶盯着她的背影。为什么她不能理解呢?每只猫都应该能够看出,他们不可能再继续过那种被欺骗的生活了。此外,星族也没有让云来遮住月亮啊。秘密已经揭开,欺骗已经结束,她的武士祖灵们肯定为此而感到高兴。

突然,冬青叶无法忍受族猫再这样盯着自己了。她踉踉跄跄地走过猫群,挤进灌木丛,毫不理会戳在皮毛上的刺。她逃过那片鹅卵石,走过树桥,冲过马场,绕开风族边界,开始往山脊上爬，一直爬到那个可以遥望湖水的山顶上。

一道银色的月光在水面上延伸开来，无数星族武士的幻影在它周围闪着微光。

"这一切值得吗？"冬青叶向他们大声哭喊道，"当一名学徒，努力学习武士守则！我们需要怎样做，才能让结果有所不同呢？"

但闪烁的星星没有给她任何回答。

冬青叶沿着山脊往前走，一直来到雷族领地，步入树林中。当她到达石头山谷时，周围一片寂静。去参加森林大会的其他猫还没有回来，除了在营地入口处站岗的亮心以外，留在营地的猫都已经睡着了。冬青叶从亮心身边走过时，没去理会她的问候。

她在明亮的月光下大步走过空地，钻进巫医巢穴。看到里面没有叶池的踪影时，她的心跳加快了。我知道我要做什么。这一切都是叶池的错。

她慢慢地爬到储药洞后面，找到那个包着死亡浆果的叶包，小心翼翼地拉出来，放在地上，然后展开叶子，露出那些光亮的红色果子。它们已经开始萎缩了，但她知道，它们仍然具有致命的毒性。

冬青叶在死亡浆果旁边坐下来，耐心地等待着。很快，她就听见外面响起了一阵缓慢的脚步声。然后，叶池穿过黑莓帘，站到了她的面前。

"冬青叶。"看到女儿在这里，她并没有感到惊讶。她的眼里满是疲惫和悲痛："什么都不要说了。我原谅你。"

"什么！"冬青叶顿时跳了起来，"你原谅我？需要道歉的是

你！你抛弃了自己的孩子！你让我们在谎言中长大！现在,由于你愚蠢而自私的行为,武士守则可能永远被打破了！"

"你觉得你需要告诉我这些吗?"叶池问道,她仍然保持着冷静,"我只能告诉你,我非常爱你。我一直在为自己所做的事情感到抱歉。"

"那么你是期望我原谅你吗? "冬青叶厉声说道,"但我不会的!永远都不会!"她愤怒地从叶池身边走过,用身体挡住洞穴入口,"看到那些死亡浆果了吗? 你得把它们吃掉。否则,我也会强迫你吃下去的! "

"什么? "

"吃掉它们!你罪该万死!"看到巫医没有向致命的浆果走去时,冬青叶蹲伏下来,做好了跳跃准备。"我已经杀死了一只猫,"她怒吼道,"还可以再杀一只! "

叶池的眼中流露出一种冬青叶无法读懂的感情。"冬青叶,"叶池说道,"我已经失去了孩子、我爱过的那只猫,以及巫医这个职业。你觉得对我来说,哪一种选择更容易些呢?死,还是继续活下去? "

这个问题只有一个答案。冬青叶默默地站到一旁,叶池从她身边走过,钻出了巢穴。

第二十八章

　　松鸦羽快速穿过荆棘通道,站在空地中央喘着气。森林大会一结束,他就奋力穿过疑惑不解的猫群,走过树桥,一路跑了回来。

　　他嗅出叶池正从巫医巢穴中走出来。现在,他最不想跟她说话。除了巫医的气味之外,他还闻到了冬青叶微弱的气息。

　　她在巫医巢穴里干什么? 她对叶池说了什么吗?

　　想到这儿,他急忙飞奔过空地,钻进黑莓帘,来到姐姐面前。"冬青叶! 你在这儿干什么?"他用鼻子嗅了嗅,突然闻到了另一种气味,"那些死亡浆果怎么会在这里?"

　　"别管我!"冬青叶大声尖叫道。

　　松鸦羽还没来得及闪开,她就向他扑了过来,把他击倒在地,并用爪子在他身上不停地乱抓。松鸦羽狂乱地蹬着腿,后掌碰到了冬青叶的肚子。她的愤怒和失望如洪水般倾泻到他身上。冬青叶在他耳朵上打了一掌,然后便跑出了洞穴。

　　"冬青叶,等等我!"松鸦羽一骨碌爬起来,跟着跑了出去。

　　当他跑到空地上时,冬青叶已经跑进了荆棘通道。松鸦羽追

了上去,疾步跑进森林,肚子上的皮毛摩擦着地面。此时,他闻到了更多猫的气味,其他参加森林大会的猫正在回营地的路上。

"松鸦羽,怎么啦?"狮焰喊道,并转身跟在他身旁奔跑,"发生什么事了?"他喘着气问道。

"是冬青叶。"松鸦羽上气不接下气地说道,"我们得追上她。"

这时,冬青叶已经跑进了树林深处,在蕨丛和黑莓丛中乱撞,仿佛突然失明了一样。

"冬青叶,快回来!"狮焰号叫道,"我们得和你谈谈!"

但冬青叶并没有放慢脚步。她在通往旧两脚兽巢穴的小路上跑了一阵,然后重新跑进了灌木丛中。

"我知道她要去哪儿了!"松鸦羽喘着气说道,并感到一阵寒意掠过全身,"那些古老的地洞……"

"不!"狮焰听起来非常惊恐,"冬青叶,快停下来!"

最后,松鸦羽和狮焰绕过一个黑莓丛,发现冬青叶就在前方。她正站在半山腰上的一个洞口旁,山下是废弃的两脚兽巢穴。松鸦羽以前从没来过这个山洞。这里有一股不新鲜的狐狸气味,还混有从姐姐身后黑暗处飘来的水和石头的气息。

松鸦羽尽量镇静地说道:"冬青叶,你必须听我们把话说完。"

冬青叶好像并没有听到他的话。"对不起。"她轻声说道,"我只想做对大家都有利的事情。我不能让蜡毛活着!那是为了我们大家!你们都明白,对吗?"

松鸦羽立即屏住了呼吸。他听到狮焰正在旁边大口地喘着气。"蜡毛是你杀的吗？"

此时，即使冬青叶回答了，松鸦羽也听不到。他比过去任何时候都憎恨自己的神奇力量，因为他已进入了姐姐的记忆……

冬青叶一路跟踪蜡毛，来到了风族边界的小溪旁，她轻轻地走着，避开那些可能留下爪印的石头，以及可能碰到她皮毛的蕨丛。蜡毛一直专注于捕猎，丝毫没有注意到她的存在。冬青叶像影子一样跟着他，直到他们来到一个地方。这里的河岸又陡又滑，小溪像吐着泡沫的毒蛇。她从一块岩石上向他扑去，前爪紧紧地抓住他的肩膀，然后扭过头，将牙齿咬进他的喉咙。在那团让她失去理智的红色迷雾里，蜡毛只不过是只猎物。为了守护武士守则和雷族的未来，她必须杀掉他。

蜡毛无力地向她抓去，但鲜血已经从他喉咙里涌了出来，他的身体顿时瘫软下来。冬青叶跳到一边，让灰毛武士的尸体坠入了小溪。她还站在那儿看了一会儿，直到湍急的溪水把血冲走。然后，她走向河岸旁的一个小水坑，开始清洗脚掌。水坑里的水被染得一片鲜红。她身后，蜡毛的尸体被冲得在河岸上撞了几下，然后才顺着溪水往下漂去。

"他本该被推进湖里，永远不被发现的。"冬青叶的声音把松鸦羽从她那可怕的记忆中拉了出来，"但族猫找到了他的尸体。现在一切都毁了。"

"不，还有别的办法——"狮焰立即脱口而出。

"不可能！"冬青叶打断了他的话，她颤抖的声音中透出了绝

望，"我不能留在这里了。但我知道，我并没有做错。可是没有猫会理解的。我必须逃走，逃到一个你们永远都找不到的地方。"

说罢，她便转身沿着地洞逃去。一阵啪哒啪哒的脚步声突然响了起来。松鸦羽急忙跟着向前跑去。他可以听到，地下河流正猛烈地拍打着石头，发出巨大的咆哮声。

"冬青叶，不要跑！"他大声吼道，"不要跑！我们可以一起解决——"一阵震耳欲聋的轰隆声打断了他的话。而且，那声音越来越大。他想象着，地洞崩塌了，湿土和岩石倾泻下来，砸在姐姐身上，把她击倒在地，压伤她，掩埋她……

他立即向前冲去："冬青叶！"

这时，狮焰向他冲来，把他撞倒在地，并死死地压住他。松鸦羽在他身下愤怒地扭动着身子。"快让我起来！"他尖叫道，"我们得把她救出来！"

"我们帮不了她的。"狮焰号叫道，"地洞已经崩塌了。我们根本没办法进去！"

泥土和石头崩塌的骚乱声渐渐消失，一切又恢复了平静。松鸦羽默默地躺在地上，急促地喘着气。狮焰后退一步，让弟弟爬了起来。冬青叶把地洞看成了远离族群和逃离错误的地方。但遗憾的是，她没能如愿——没能以她想要的方式结束。

"一切都结束了。"狮焰的声音不停地颤抖着。

"我不明白。"松鸦羽既惊恐又悲伤，"她杀死蜡毛，是为了不让秘密泄露出去。但是，她又在森林大会上把这个秘密透露给了每一只猫。"

　　"这不一样。"狮焰靠到他身上，直到松鸦羽感觉哥哥的悲痛已经和他的融在了一起，"冬青叶不能忍受自己是巫医的孩子，不能忍受她是一只混血猫。对她来说，武士守则就是一切，而我们的出生把它给粉碎了。"

　　"我们本该做些什么的。"松鸦羽坚持说道，"那我们现在该怎么跟族猫说呢？"

　　狮焰精疲力竭地叹息了一声："我们不能跟族猫说，是冬青叶杀死了蜡毛，不能让这件事成为大家对她的唯一记忆。"

　　松鸦羽点了点头。这一切发生之后，我们要保守的秘密又多了一个——为了冬青叶。"我们就说，她追逐松鼠到了地洞里，然后地洞坍塌下来，掩埋了她。族猫会记住，她是为了给族群捕食而死的，是一只勇敢的猫。族猫不需要知道真相——她是在试图逃离他们。"

　　然后，他们开始慢慢地走回营地。松鸦羽感到，一股清新的微风吹动着他的皮毛。他大口大口地呼吸着冰冷的空气。新的一天开始了。但现在，他只想回到自己的巢穴，蜷缩到窝里，逃进梦中。这一切发生之后，太阳怎么可能还会升起来呢？

　　突然，他停了下来。"那个预言！"他大声喊道。

　　已经向前走了几步的狮焰也停了下来："你怎么突然想到它了？"

　　"难道你不明白吗？"松鸦羽抓挠着草地，"如果冬青叶死了，那个预言会怎么样？预言说会有三只猫，而现在只有两只！"

　　松鸦羽伸展了一下麻木的四肢，迎接着太阳的第一缕微光。

　　尽管没有尸体可以埋葬，但整个晚上，族猫们都在为冬青叶守夜。猫群在他身边涌动，他可以听到，黑莓掌正在几步之外的地方，低声召集黎明巡逻队。

　　距离森林大会和冬青叶在地洞里惨死，已经过了一天一夜。火星站在高岩上，面对着深受打击的雷族猫。"昨晚，冬青叶透露了一个让大家震惊的秘密。"他说道，"但事情已经发生，无法挽回了。相反，为了全体族猫，我们必须找到一条勇往直前的道路。"

　　"那其他族群怎么办呢？"尘毛大声说道，"由于冬青叶，他们都知道了这个秘密。"

　　"也许冬青叶本不该把那些事说出来。"火星承认道，"但她已经付出了可怕的代价。至于其他族群，肯定认为我们已经绝望了。但我们一定要证明，雷族并没有绝望！雷族将会一直存活下去！"

　　高岩下的群猫大声号叫着表示赞成。松鸦羽可以感觉到，他们的震惊和悲痛慢慢被一种前所未有的决心所代替。

　　他站起来，伸了一个长长的懒腰，然后坐下来梳理皮毛。过了一会儿，他感觉到育婴室外有了动静，几只族猫正聚集在那儿。他走了过去，想看看究竟发生了什么事。

　　"是白翅的孩子。"狮焰告诉他，"这是她们第一次离开育婴室。"

　　松鸦羽和哥哥走近时，白翅正高兴地宣布说："快看，她们的眼睛是睁着的！她们漂亮吗？"

一阵响亮的吱吱声和小脚掌发出的吧嗒声越来越近，然后便停了下来。松鸦羽感到非常好奇。

"你们好呀，小崽崽。"狮焰低声说道，"欢迎你们来到雷族。"

"这只猫的灰毛好松软哦。"沙风说道，"而这只小猫的虎斑白毛多漂亮呀。给她们取名字了吗？"

"嗯，已经取好了。"桦落回答说，听上去他正准备自豪地说出来，"这只灰色的叫小鸽，那只虎斑白猫叫小常春藤。"

"多美的名字啊。"亮心轻声说道。

这只姜黄色和白色相间的母猫正坐在旁边，看着女儿的幼崽们，云尾也在她身旁陪伴着。松鸦羽可以感受到，他们看到自己的血亲既健康又强壮时的幸福。他们的心情一定比树梢之上刚刚升起的太阳还要明亮。

这时，另一种气味从他身边飘过，火星走了过来。族长说道："真是太好啦。她们很快就会成为学徒了。"

松鸦羽突然感到肚子一震，仿佛一只猫用脚掌踢了他一下。他抓住狮焰，低声说道："那个预言……"

"你又在说什么？快拿开你的爪子！"狮焰听起来十分气恼。

"将有三只猫，你至亲的至亲……"松鸦羽的声音颤抖起来，不知道自己的判断是否正确，"云尾是火星的血亲，白翅是云尾的女儿。现在，小鸽和小常春藤……难道你还没看出来吗？预言还没有结束！火星的血亲不只是我们。究竟白翅的哪个幼崽是预言中的猫，这并不重要，重要的是，我们仍然是三个！"

WARRIORS

猫武士四部曲·星族的预言

《第四学徒》

　　小鸽和小常春藤——伟大领袖火星的血亲——已经准备好成为雷族的新学徒了。然而，再过不久，两姐妹中的一个就会得到那个有关预言的梦境，而且，她将由此发现，自己拥有着其他任何一只猫都无可企及的神秘力量！

　　一个严酷的季节即将来临，森林中的四大族群都将受到威胁。在这段充满危机的日子里，三只年轻的猫将许下诺言、缔结盟约，共同揭开那个将他们紧紧捆绑在一起的秘密。